LE GUIDE DES
chiens

Tout savoir
sur votre animal préféré

Les Éditions
Goélette inc.

Dépôts légaux :
Troisième trimestre 2005
Bibliothèque nationale du Québec
Bibliothèque nationale du Canada

Les Éditions Goélette inc.
600, boul. Roland-Therrien
Longueuil, Québec, Canada J4H 3V9
Téléphone : (450) 646-0060
Télécopieur : (450) 646-2070

Recherche et rédaction : Isabelle Quentin éditeur inc.
Graphisme de la page couverture : Jacques Lacoursière
Photo principale de la couverture : Julie de Leseleuc
Infographie : Jacques Lacoursière

Imprimé au Canada

ISBN 2-922983-32-3

Table des matières

AVERTISSEMENT

Le contenu de cet ouvrage rassemble de l'information générale sur la santé animale et sur l'art de vivre avec son chien, et ne doit en aucun cas remplacer la consultation professionnelle, le diagnostic ou le traitement recommandé par un médecin vétérinaire.

Chapitre 1

Qu'est-ce qu'un chien ?

Bonne question, direz-vous peut-être, car s'il est vrai que l'on s'interroge plus souvent sur les origines de l'Homme que sur celle de nos amies les bêtes, bon nombre de personnes aimeraient pourtant bien connaître celles de leur animal favori, le chien.

Sans entrer dans une étude scientifique poussée, on peut dire que le chien qui nous accompagne au quotidien – de son nom scientifique « Canis familiaris » – fait partie de la famille des *canidés* qui compte près d'une quarantaine d'espèces parmi lesquelles, le renard, le coyote, le chacal et le loup. Si l'on n'est pas encore certain de la filiation du chien moderne avec son ancêtre le loup, – il pourrait s'agir du chacal ou du coyote –, cette hypothèse semble la plus vraisemblable.

NOTRE RELATION AVEC EUX

Voici des milliers d'années que l'homme et le chien partagent joies et travail. Chasseur, gardien, sauveteur ou tout simplement compagnon, leur histoire d'amour remonte loin à travers les âges et des témoignages de leur relation apparaissent dans les documents les plus anciens qui soient : les parois de grottes. C'est le premier animal que l'homme a domestiqué.

Le savez-vous ?

Il y aurait au Canada 5 104 800 chiens.
(Source : sondage omnibus I psos-Reid, Paws & Claws. Mars 2001)

L'on trouve des traces de la domestication du chien depuis 15 000 ans. Homme et chien vivent à l'époque en meute, en bande. La faim, la recherche de gibier, les amènent à se rencontrer souvent. Puis, sans doute, à coopérer.

L'homme, dont l'intelligence se développe rapidement, l'homme capable de créer des outils, reconnaît dans le chien des

Le savez-vous ?

30 % des familles canadiennes possèdent un chien.
(Source : sondage Léger Marketing réalisé pour le compte de l'Académie de médecine vétérinaire du Québec en août 2002)

Le savez-vous ?

54 % des répondantes croient que leur chien comprend au moins en partie ce qu'elles lui disent.

(Source : sondage Ipsos-Reid réalisé pour le compte de Pfizer Santé animale auprès de 700 femmes canadiennes âgées entre 25 et 54 ans. Mars 2001)

SON LANGAGE

Ceux qui ont établi une parfaite complicité avec leur chien disent que le langage de celui-ci est aussi clair que celui des humains.

CORPOREL

Pour les nouveaux possesseurs d'un chien, voici des indications qui vous seront utiles pour comprendre ce qu'il veut vous dire :

> *La première des choses est de bien l'observer : ce sont ses postures ainsi que ses mouvements – des yeux, de la bouche, des oreilles, de la queue – qui parlent et vous renseignent sur son état émotionnel.*

SOUMISSION

A-t-il a la queue basse, la tête fléchie, les oreilles en arrière ; est-il accroupi sur ses quatre pattes, les yeux à demi fermés ? Pas de doute, il fait acte de soumission.

DOMINANCE

Au contraire, est-il dressé sur ses pattes, la tête haute, les oreilles droites, la queue relevée, le regard bien ouvert ? Il signale alors sa dominance.

AGRESSION

S'apprête-t-il à agresser, à mordre ? Les babines sont retroussées mettant les crocs à découvert, le poil du dos se hérisse, la queue se positionne horizontalement ou se rabat entre les pattes, le regard est fixe et menaçant. Attention, il est en posture d'attaque !

Sonore

Le chien possède une étonnante gamme de sons pour exprimer ce qu'il ressent ou ce qu'il veut faire comprendre :

Le jappement

Le jappement qui n'est qu'un aboiement bref et saccadé peut marquer la peur, la soumission, mais quelquefois aussi la douleur.

Le hurlement

Le hurlement – qui n'est pas sans évoquer celui du loup –, signale souvent un état de stress, soit la peur de l'abandon, soit la solitude. C'est en quelque sorte un appel au secours, surtout si le chien n'est pas habitué à rester seul.

L'aboiement

L'aboiement peut exprimer des sentiments aussi divers que la joie, le mécontentement, la réprobation ou encore avertir d'un danger.

Le savez-vous ?

21 % des propriétaires de chiens affirment que celui-ci les comprend mieux que leur conjoint ou que toute autre personne clé de leur entourage.

(Source : Firme Compas pour le compte de Ralston Purina. Février 1999. Sondage fondé sur une enquête auprès de 1 240 propriétaires de chiens)

LE GEIGNEMENT

Le geignement marque un besoin, qui peut être celui d'être cajolé, de recevoir de l'attention ou la gâterie qu'il convoite.

LA PLAINTE

La plainte aiguë et brève peut signaler une douleur passagère ou plus profonde. Portez attention à la répétition de ce signal afin de prendre éventuellement les mesures qui s'imposent.

LE GRONDEMENT

Le grondement, lorsqu'il est sourd et continu, il manifeste la colère, et/ou le début d'une agression.
Lorsqu'il est bref, il signifie que le chien vous interpelle.

OLFACTIF

En ce domaine, la supériorité du chien est notoire, car si l'homme possède un cerveau bien plus gros que celui du chien, le lobe olfactif de ce dernier est quatre fois plus développé.

Des substances chimiques, les *phéromones*, secrétées par le corps au niveau des oreilles, de la bouche, de l'anus, des organes génitaux, agissent littéralement comme « agents de renseignements » pour connaître le statut social du congénère ou son aptitude à la reproduction.

Ce qui est valable pour ses congénères est également valable pour l'identification des humains, ce qui fait du chien un partenaire irremplaçable en cas de recherche de personnes disparues. On dit que le chien peut mémoriser une quantité impressionnante d'odeurs différentes (à peu près 100 000).

LES 10 GROUPES DE CHIENS

En fait, s'il existe 400 races de chiens dans le monde, ils ont été classés par la Fédération cynologique internationale, en dix grands groupes. En connaître les principales caractéristiques vous permettra de mieux choisir le chien adapté à votre style de vie. C'est pour cela que nous choisissons de vous les présenter à travers cette nomenclature.

Pour chacune d'entre eux, nous attirons votre attention sur ses qualités, défauts et principaux besoins. Bien sûr, ces généralités ne vous dispensent pas de bien vous informer des caractéristiques propres à la race spécifique qui vous intéresse. Mais elles vous permettront un premier balayage à travers les grands groupes qui les réunissent.

LE GROUPE 1
Chiens de Berger et de Bouvier

L'homme préhistorique a été fasciné par le talent des bergers. Il se serait inspiré de ses tactiques pour rassembler les animaux. Puis, à travers le temps, par une suite de sélections, l'homme a développé un grand nombre de races bergères.

Les chiens de berger doivent rassembler et contenir les animaux. Ils doivent aussi surveiller sans relâche le troupeau, aller chercher ceux qui s'écartent et les ramener vers les autres. Pour ce faire, il présente les caractéristiques suivantes.

Les bergers et les colleys font partie de ce groupe.

QUALITÉS	DÉFAUTS	BESOINS
-Excellent gardien	-Caractère très marqué	-Exige beaucoup de fermeté
-Très bon chien de défense	-Dominateur	-Appelle un maître très en contrôle
-Fidèle	-Se méfie des inconnus	-Doit avoir beaucoup d'espace
-Intelligent	-Maturité tardive	-Doit beaucoup bouger
-Courageux		
-Vif		

Ce chien pèsera, adulte, entre 30 et 40 kilos, pour le mâle ; entre 27 et 37 kilos pour la femelle. Sa taille sera de 65 à 70 centimètres chez le mâle ; de 63 à 68 centimètres chez la femelle.

LE GROUPE 2
Chiens de type Pinscher et Schnauzer, Molossoïdes et Chiens de Bouvier Suisses

Les chiens de type Pinscher et Schnauzer entrent aussi dans la catégorie des chiens de garde. Ils alerteront le maître à la vue d'un étranger, seront dotés de capacités physiques et d'endurance exceptionnelles, et d'un discernement toute épreuve.

Les animaux réunis en troupeaux ont toujours été la cible de prédateurs puissants : loups, ours, jaguars, chacals, pumas… Historiquement, ces chiens ont eu pour tâche de défendre le troupeau contre ces prédateurs. Cela montre bien le tempérament fort, déterminé et courageux qui les caractérise.

Les molossoïdes, quant à eux, ont un museau puissant, des oreilles tombantes, un corps massif et une peau épaisse. Ils descendent tous d'un dogue primitif asiatique qui s'est répandu sur un

QUALITÉS	DÉFAUTS	BESOINS
-Bon gardien	-Caractère très marqué	-Exige beaucoup de fermeté
-Excellent défenseur	-Se méfie des inconnus	-Appelle un maître très en contrôle
-Fidèle	-Associal avec les autres chiens	-Doit avoir beaucoup d'espace
-Flair et instinct remarquables	-Possessif, jaloux	-Doit beaucoup bouger
-Courageux		

vaste territoire à cause des importantes inondations du quaternaire et du déplacement des Tibétains vers le Moyen-Orient.

Les bouviers suisses sont des chiens de montagne, gardiens de troupeaux en ce sens partagent cette qualité avec les chiens du premier groupe.

Le doberman, le bouvier, le pinscher, le boxer, le dogue, le Terre-Neuve, etc., font partie de ce groupe.

Le molossoïde pèsera, adulte, entre 20 et 32 kilos, pour le mâle ; entre 18 et 25 kilos pour la femelle. Sa taille sera de 57 à 68 centimètres chez le mâle ; de 53 à 63 centimètres chez la femelle.

LE GROUPE 3
Terriers

Les premières traces de ces chiens bas sur pattes, et assez allongés, remontent à 2100 avant Jésus-Christ. C'était en Égypte et l'hypothèse que des marins phéniciens l'aient amené jusqu'aux Îles britanniques semble la plus plausible.

Ces chiens sont les champions de la chasse aux blaireaux, putois, aux renards et aux rongeurs. Ils les talonnent et les pourchassent jusqu'à leurs terriers et même sous terre ! On ne sera pas surpris qu'ils possèdent une certaine agressivité, beaucoup de courage, de dynamisme, et… des mâchoires redoutables.

QUALITÉS	DÉFAUTS	BESOINS
-Grande longévité	-Têtu, indépendant	-A besoin de beaucoup de fermeté
-Affectueux	-Vif, remuant	-Toilettage parfois compliqué
-Infatigable, énergique	-Capricieux	
-Intelligent	-Téméraire	
-Grande capacité d'apprentissage		
-Excellent nageur		

Le terrier pèsera, adulte, entre 2 et 5 kilos, pour le mâle ; entre 1,5 et 4 kilos pour la femelle. Sa taille sera de 20 à 28 centimètres chez le mâle ; de 18 à 27 centimètres chez la femelle.

LE GROUPE 4
Teckels

Cas exceptionnel, ce groupe ne compte qu'une race : celle des teckels. Il est originaire d'Allemagne et possède des vertus très variées. Comme le terrier, il chasse le blaireau et le renard, jusque sous terre. Comme les chiens courants, ceux du sixième groupe, il travaille volontiers en meute. Il s'apparente au septième groupe, celui des chiens d'arrêt, en ceci qu'il jappe lorsqu'il suit une piste, par exemple celle de lapins ou de lièvres. Comme eux encore, on l'utilise à la recherche au sang du grand gibier blessé. Il est vraisemblablement descendant des brachets allemands du Moyen-Âge.

Il a les oreilles plates et arrondies. Son corps est long, compact, musclé. Son poil peut être ras, dur ou long. Les poids et taille des teckels sont très variables, parce qu'il existe des animaux de type standard, nain et kaninchen.

QUALITÉS	DÉFAUTS	BESOINS
-Fidèle	-Têtu, volontaire, indépendant	-Peut vivre à la ville comme à la campagne
-Calme, tranquille	-Capricieux	-Doit bouger
-Intelligent, observateur	-Gourmand, risque d'embonpoint	
-Personnalité riche	-Imprévisible avec les enfants	
-Grande longévité		

Le teckel standard pèsera, adulte, entre 6,5 et 9 kilos ; le nain n'excédera pas les 4 kilos et les 35 centimètres de tour de poitrine ; alors que le kaninchen, adapté à la chasse au lapin, ne dépassera pas les 3,5 kilos et les 30 centimètres de tour de poitrine.

LE GROUPE 5
Chiens de type Spitz et de type Primitif

À l'origine de l'espèce, les chiens ressemblaient à ceux de ce groupe. Queue enroulée sur le dos ou la croupe, oreilles dressées, visage triangulaire ; ce sont les caractéristiques primitives.

Les spitz ont, en plus, une importante fourrure et un sous-poil très épais. Parmi eux, les chiens du Grand Nord : chiens de traîneau, de garde, de chasse. Des chiens spitz européens et asiatiques aussi.

Le husky, le malamute, le samoyede, le hokkaido, etc. font partie de ce groupe.

QUALITÉS	DÉFAUTS	BESOINS
-Dévoué, fidèle	-Réservé, indépendant	-Tolère mal la chaleur
-Bon gardien	-N'a qu'un maître (n'est donc pas un chien pour la famille	-Son maître doit faire preuve de patience
-Peu démonstratif	-Associal avec les autres chiens	-Brossage approfondi à tous les trois jours

Le chien primitif ou spitz pèsera, adulte, entre 25 et 30 kilos, pour le mâle ; entre 20 à 25 kilos pour la femelle. Sa taille sera de 48 à 56 centimètres chez le mâle ; de 46 à 51 centimètres chez la femelle.

LE GROUPE 6
Chiens Courants et Chiens de Recherche au Sang

Ce groupe est divisé en deux. Le premier est celui de chiens pratiquant la chasse à courre du grand gibier, le second ceux spécialisés dans la recherche au sang du grand gibier blessé.

Les bassets hound, les dalmatiens font partie de ce groupe.

Le chien adapté à la chasse à courre devra être capable de virages, d'arrêts brusques et de redémarrages rapides. Il sera entraîné et spécialisé en fonction d'un gibier spécifique. Leur gorge puissante permet aux conducteurs de suivre leur parcours.

Celui de recherche au sang possèdera des dons olfactifs exceptionnels puisqu'il doit retrouver, à partir de traces vieilles de plusieurs heures, l'animal blessé.

Le griffon, le beagle, le basset, le dalmatien, etc., font partie de ce groupe.

QUALITÉS	DÉFAUTS	BESOINS
-Courageux, persévérant	-N'aime pas être seul	-Beaucoup d'exercice physique
-Aime les enfants	-Entêté	-Demande un maître ferme
-Intelligent, sensible		

Le chien courant et le chien de recherche au sang pèseront, adultes, entre 25 et 30 kilos, pour le mâle et la femelle. Sa taille sera de 33 à 61 centimètres chez le mâle ; de 33 à 58 centimètres chez la femelle.

LE GROUPE 7
Chiens d'Arrêt

Les chiens d'arrêt sont de merveilleuses mécaniques qui se tapissent au sol, d'où l'ancienne expression de chiens couchants, afin de permettre au chasseur de capturer les oiseaux. Au Moyen-Âge, c'était en lançant un filet au-dessus d'eux que la prise était effectuée. Imaginez le silence et la discrétion que ces chiens devaient développer ! Puis, la chasse à l'arc, et la chasse à l'arquebuse se sont développées de concert avec le travail du chien. On lui apprit à indiquer précisément par sa position, à l'arrêt, l'emplacement précis du gibier.

On retrouve différentes races de chiens d'arrêt, à poil court (type braque), à poil long ou demi-long (type épagneul) ou à poil long et broussailleux (type griffon).

Le braque, l'épagneul, le griffon, le setter, etc., font partie de ce groupe.

QUALITÉS	DÉFAUTS	BESOINS
-Ardent, joyeux -Doux -Flair exceptionnel	-Fringant	-Espace indispensable (ne pas le faire vivre en ville) -Doit absolument pouvoir courir

Le chien d'arrêt pèsera, adulte, entre 15 et 30 kilos, pour le mâle ; entre 15 à 25 kilos pour la femelle. Sa taille sera de 48 à 64 centimètres chez le mâle ; de 47 à 62 centimètres chez la femelle.

Le groupe 8
Chiens rapporteurs de Gibier, Chiens Leveurs de Gibier, Chiens d'Eau

Ces chiens sont répartis en groupes selon qu'ils sont capables de rapporter du gibier tué, blessé, sur terre ou dans l'eau : canards, perdreaux, bécasses, faisans ou gros lièvres.

Ils possèdent un odorat remarquable, un grand sens de l'orientation, et sont très doux. C'est une des raisons pour lesquelles ils sont souvent dressés à accompagner des personnes malvoyantes.

Les leveurs de gibier servent à débusquer et à faire lever les oiseaux cachés dans les broussailles.

Les chiens d'eau, comme leur nom le suggère, adorent l'eau, plongent volontiers peu importe la température de l'élément, et rapportent canards et oies, bécassines, courlis et pluviers pour le plus grand bonheur de leurs maîtres.

Le cocker, le golden retriever, etc. font partie de ce groupe.

QUALITÉS	DÉFAUTS	BESOINS
-Très gentil, sociable	-Pas gardien	-Besoin de compagnie
-Facile à dresser	-Très présent	-Beaucoup d'exercice physique
-Affectueux		-Espace et idéalement, eau
-Gai et dynamique		

Le chien rapporteur, leveur ou d'eau présente de grands écarts de taille et de poids selon les races. Il pèsera, adulte, entre 13 et 40 kilos, pour le mâle ; entre 12 à 35 kilos pour la femelle. Sa taille sera de 39 à 61 centimètres chez le mâle ; de 38 à 56 centimètres chez la femelle.

LE GROUPE 9
Chiens d'Agrément et de compagnie

Ces chiens n'ont pas d'autre vocation utile que celle d'accompagner leurs maîtres, d'écouter ses confidences, de le rassurer et de lui manifester de l'affection. Cela en fait un compagnon facile, en particulier à la ville, ces animaux étant souvent de petite taille.

Le bichon, le caniche, certains griffons, le chihuahua, le lhassa apso, le pékinois, etc., font partie de ce groupe.

QUALITÉS	DÉFAUTS	BESOINS
-Affectueux	-Mauvais gardien	-Vie en appartement facilement
-Facile	-Aboie souvent	
-Gentil avec les enfants		-S'adapte à tout rythme de vie
-Cohabite avec d'autres animaux		

Le chien d'agrément et de compagnie, le plus souvent petit, pèsera, adulte, entre 2,5 et 8 kilos, pour le mâle ou la femelle. Sauf de rares cas, sa taille sera de 20 à 35 centimètres.

LE GROUPE 10
Lévriers

Les lévriers ont une origine lointaine. Sans doute dans les steppes d'Asie, dans les déserts du Moyen-Orient ou d'Afrique. Ils ont une longue pratique de la chasse à vue afin de dénicher ce qu'il leur fallait pour subvenir à leurs besoins alimentaires. Ils devaient aussi être très rapides afin de pourchasser la proie repérée.

Aussi, pour être heureux, ces chiens vont devoir bouger beaucoup... et leurs maîtres aussi. Ce sont, sauf pour les variétés naines, de très grands animaux. Ils sont longilignes, élégants et gracieux. Des chiens de rois !

Le lévrier, greyhound, galgo, whippet font partie de ce groupe.

QUALITÉS	DÉFAUTS	BESOINS
-Discret, sensible, doux	-Méfiant	-Beaucoup d'exercice
-Fier et calme	-Réservé	-Certaines races à poil long nécessitent beaucoup d'entretien (huile, brossage, etc.)
-Peu aboyeur	-Indépendant	
-Propre	-Fugueur	
-Élégant		

Le lévrier pèsera, adulte, entre 7 et 30 kilos, pour le mâle ou la femelle. Sa taille sera de 44 à 74 centimètres selon la race.

Chapitre 2

Adopter un chien

ÊTES-VOUS PRÊT À ADOPTER UN CHIEN ?

Vous vous demandez peut-être encore, à la lumière des profils décrits précédemment, quelle race de chiens vous devriez privilégier. La réponse réside en l'analyse que vous saurez faire de votre situation. Laissez-nous vous aider à y voir plus clair à travers les questions suivantes.

Et gardez en tête qu'une relation avec un chien, c'est une longue aventure, d'une quinzaine d'années. La première question est sans doute liée au temps. Êtes-vous prêt à vivre avec votre chien à tous les cycles de sa vie ? Sur une longue période de la vôtre ?

VOTRE PERSONNALITÉ

Quel est votre style de vie ? Sédentaire ou ne tenant pas en place ?

Votre tempérament : bouillonnant ? autoritaire ? laxiste ? enjoué ?

Votre rythme : tranquille, laborieux, rapide, changeant ?

VOTRE EMPLOI DU TEMPS

Nous y reviendrons, mais songez, d'entrée de jeu, que votre chiot demandera un temps de dressage indispensable à la bonne suite de votre relation. Avez-vous le temps de vous consacrer à son éducation ?

Vous partez toutes les fins de semaine faire du ski de fond, de la randonnée ? Alors, optez pour un chien qui aime bouger et courir ! Et amenez-le avec vous !

Vous travaillez de longues heures durant lesquelles l'animal devra vous attendre ? Préférez alors un chien qui ne s'ennuie jamais et qui ne se rend pas compte du temps qui passe. Ils existent !

Vous êtes sensible au charme des bergers anglais ? Êtes-vous prêt à passer plusieurs heures par semaine à le brosser ?

VOTRE HABITATION : LA PRÉPARER

L'arrivée d'un chiot suppose une certaine préparation. Y a-t-il des pièces où on lui refusera l'accès ? Cela peut paraître simple a priori, mais dans la pratique, on empêche difficilement un animal de circuler là où bon lui semble.

Attention !

Ne comptez jamais sur les seuls enfants pour vous occuper de votre chien. Si vous n'êtes pas prêt, comme adulte, à y consacrer le temps nécessaire, vous courez au-devant d'un fiasco. Le dressage, les achats, les visites chez le vétérinaire restent votre responsabilité.

Et si vous aimez que règne un ordre parfait chez vous, demandez-vous objectivement si vous accepterez que votre chien remue, bave, grignote, lèche, bref, vive, dans cet environnement sans tache ! Et c'est sans parler de ce qu'il peut rapporter d'une promenade !

DES ALLERGIQUES À LA MAISON ?

En cas de doute, n'hésitez pas à vérifier que personne n'est allergique aux chiens dans la famille. Ce pourrait être le début d'un long calvaire. Certaines races provoquent moins d'allergies que d'autres et, aussi curieux que cela paraisse, les chiens à poil court sont souvent plus allergènes !

LES ENFANTS

Tous les enfants du monde rêvent un jour d'avoir un chien. C'est sans doute le cas chez vous. Peut-être même que la demande vient d'eux.

Que ce soit le cas ou non, vous aurez à vérifier si les enfants sont prêts à prendre en charge certaines corvées quotidiennes (promenades, toilettage, nourriture, etc.) ou pas. Si la chose est vécue harmonieusement, cette prise en charge favorisera la responsabilisation de chacun, petits compris.

Il faut aussi prendre le temps de vous assurer qu'ils saisissent qu'un animal n'est pas un camion qu'on peut mettre de côté et qu'une longue relation va bientôt s'installer. Ici, c'est le respect de la vie qui est en cause.

Une fois cela bien compris, le chien deviendra bientôt un merveilleux confident et un compagnon de jeu infatigable... si l'on a pris soin de bien le choisir.

CHOISIR UN CHIEN

Ce choix dépendra surtout de vos motivations profondes. Serez-vous guidé par l'amour des animaux et celui des chiens en particulier ? Souhaitez-vous un ami pour partager votre solitude ou pour vous suivre dans vos activités sportives ou familiales ? Un gardien pour votre habitation ? Un compagnon de jeu pour vos enfants ?

Choisirez-vous un chien de race avec pedigree, un chien issu de croisements, un simple bâtard ? Il est certain que votre budget dictera votre conduite, sachant qu'il faudra envisager un montant beaucoup plus important pour acquérir un chien de race pure.

Il va de soi que vous devrez prendre en considération un certain nombre de facteurs, tels que nous les avons énumérés plus haut et sur lesquels il est utile de revenir, comme votre disponibilité, votre habitat, votre statut familial, votre âge et vos possibilités financières. Bien entendu, la race, la taille du chien, sa sociabilité, iront de pair avec ce que vous attendrez de lui. Et répétons-le, en adoptant un chien, vous vous engagez à « vivre avec lui » pendant une période variant de douze à vingt ans.

Notons encore que, contrairement à ce que l'on pense, seule une minorité de personnes âgées de plus de 65 ans possède un chien. (environ 13 %)

(Source : sondage Léger Marketing réalisé pour le compte de l'Académie de médecine vétérinaire du Québec en août 2002)

MÂLE OU FEMELLE ?

Là aussi, il va de soi que le sexe du chien sera affaire de préférence : un mâle sera souvent plus agressif – ce n'est pourtant pas une généralité –, se prêtera moins facilement au dressage, mais une fois l'apprentissage acquis, vous aurez un compagnon sociable et parfaitement obéissant.

En revanche, si une femelle est souvent plus casanière et plus câline, n'oubliez pas les inconvénients de ses chaleurs – deux fois par an – avec pour conséquence, l'afflux bruyant de tous les mâles du quartier devant votre demeure !

CHIOT OU ADULTE ?

Difficile de résister à l'attrait exercé par un chiot, mais dites-vous bien que son aspect changera très vite et avant tout achat, réfléchissez à la question de savoir s'il correspondra à vos désirs une fois qu'il aura atteint l'âge adulte. Prenez en compte tous les critères cités plus haut, tels que votre personnalité, votre habitation, votre emploi du temps, votre vie familiale.

LE CHIEN ET LES ENFANTS

Nous y avons fait allusion plus haut : pour les enfants, l'arrivée d'un chien est toujours saluée avec joie, sinon vécue comme un cadeau. Justement, c'est sur ce point que, dès le début, vous aurez à imposer les règles du jeu : un chien n'est pas une peluche, c'est un être vivant dont il faut prendre soin, assurer les tâches au quotidien, partager les responsabilités avec les autres membres de la famille, surtout si l'on est un adolescent. Il faudra aussi apprendre aux plus petits à respecter le rythme de vie et le coin territoire de ce nouveau compagnon en ne le dérangeant pas au gré de leurs caprices.

VOUS AVEZ D'AUTRES ANIMAUX

Surtout, pensez-y avant l'achat ou l'adoption !

Les oiseaux ou les poissons ne posent évidemment pas problème, en revanche, si un chien ou un chat – ou les deux – occupent déjà le territoire, l'introduction d'un nouvel habitant peut occasionner de sérieux troubles. Cependant, des exceptions existent, notamment dans le cas d'un chiot et d'un chaton élevés ensemble. Quant au chien de la maison, installé dans les lieux depuis des années, à la condition de conserver sa qualité de dominant, il se contentera souvent de regarder d'un œil protecteur et bienveillant le « petit nouveau » fraîchement débarqué.

LE BUDGET

Ce point doit être sérieusement étudié avant l'achat ou l'adoption, car si le budget devant être consacré à l'alimentation est souvent proportionnel à la taille du chien, les soins vétérinaires, les médicaments, les soins d'hygiène, le toilettage, les accessoires

Le savez-vous ?

32 % des propriétaires de chiens possèdent également un chat et 14 %, un autre animal.

(Source : sondage Léger Marketing réalisé au Canada entre le 22 et 26 mai 2002, auprès de 1503 Canadiennes et Canadiens âgés de 18 ans et plus et pouvant s'exprimer en français et en anglais)

indispensables ainsi que les assurances n'occasionnent pas de grande différence entre les gros et les petits chiens.

Le savez-vous ?

En moyenne, chaque foyer canadien possédant un animal domestique dépense 569 $ par année.

(Source : Habitudes de consommation année 2000 : Statistiques Canada)

L'ADOPTER

La Coalition nationale pour les animaux de compagnie (CNAC) a préparé une liste intéressante de questions à se poser lorsqu'on a pris la décision d'acquérir un chien. Cette coalition regroupe la Fédération canadienne de sociétés d'assistance aux animaux, l'Association canadienne des médecins vétérinaires, le Club Canin Canadien et le Conseil consultatif mixte de l'industrie des animaux de compagnie du Canada. Ensemble, ils constituent la Coalition Nationale pour les Animaux de Compagnie. Ce groupe, formé en 1996, a pour mandat de promouvoir la responsabilité sociale des propriétaires d'animaux de compagnie et d'améliorer la sécurité et le bien-être animal. Difficile de réunir autant de compétences dans le but de vous aider à prendre la juste décision. Suivons ici leurs recommandations.

OÙ L'ACHETER ?

Plusieurs options s'offrent à vous et votre décision de le choisir, soit dans un élevage industriel, dans une animalerie, soit chez un particulier ou dans un refuge ne devrait pas répondre à « un coup de foudre », mais plutôt à un acte suffisamment réfléchi.

Sachez que la réputation et la crédibilité de l'endroit où vous achèterez votre chiot sont capitales. Voyons comment.

Attention !

Évitez de vous procurer un chien provenant d'un élevage industriel dit : « usine à chiots ».

Une usine à chiots est définie par le CNAC comme une opération d'élevage de qualité inférieure qui vend des chiens de race pure ou croisée à des acheteurs peu méfiants. Certaines des caractéristiques attribuables aux usines à chiots sont :

- *État de santé/environnement de qualité inférieure ;*
- *Soins, traitements et/ou socialisation de qualité inférieure ;*
- *Pratiques d'élevage de qualité inférieure, amenant à des défauts génétiques ou troubles de nature héréditaire ;*
- *Certificats d'enregistrement, pedigree et/ou profil génétique erronés ou falsifiés.*

Note : Ces conditions peuvent également se retrouver dans des lieux d'élevage à petit volume ou d'élevage d'une seule race.

TRUCS ET ASTUCES

Liste de vérification quant à l'établissement et l'environnement :

- Le vendeur vous accorde-t-il accès aux endroits où sont gardés les chiens ?
- L'établissement est-il propre ?
- L'eau et la nourriture sont-elles disponibles dans l'environnement où sont gardés les chiens ?
- Est-ce que des références vous sont fournies sur demande ?
- Le vendeur vous a-t-il posé des questions pertinentes de façon à assurer la compatibilité entre vous (l'acheteur) et le chien ?
- Dans le cas d'un établissement d'élevage, est-ce que la mère des chiots est présente et pouvez-vous la voir ?

(Source : www.animaquebec.com, 2005.01.30)

Tout d'abord, observons dans quel environnement évoluent les chiens, sachant que si l'environnement est sain, accueillant, sécuritaire, les chiots auront de fortes chances d'être en bonne forme.

LE PREMIER CONTACT

Ensuite, observons les animaux. De quoi a l'air ce chien qui m'intéresse ?

TRUCS ET ASTUCES

Liste de vérification quant à l'apparence physique du chien :

- Des chiots en santé et bien socialisés sont de nature active, ouverte et amicale. Évitez les chiens qui sont trop peureux et trop timides.
- Les chiens sont-ils dans de bonnes dispositions ?
- Les chiens semblent-ils en bonne santé ?
- Est-ce qu'un des chiens démontre l'un des signes suivants ? Maigreur ? Abdomen gonflé ? Léthargie ? Diarrhée ou poils souillés autour de l'anus ? Éternuement ? Écoulement au niveau des yeux ou du nez ?

(Source : www.animaquebec.com, 2005.01.30)

LES QUESTIONS À POSER, LES PAPIERS, LE PEDIGREE

Une fois rassuré sur l'aspect physique du chien que vous convoitez, demandez-vous maintenant ceci :

TRUCS ET ASTUCES

- Avez-vous accès aux copies de certificats de vaccination, carnets de santé et autres documentations pertinentes faisant constat de la dernière visite de ces chiens chez le vétérinaire ?
- Lorsque vous faites affaire avec un éleveur, la documentation vous offrant des assurances sur l'état de santé des parents est-elle disponible ? Une telle information est requise afin de réduire les incidences de maladies transmissibles et les troubles génétiques.
- Le vendeur vous donne-t-il un contrat de vente, indiquant ;
  - Date de l'achat ?
  - Noms de l'acheteur et du vendeur ?
  - Description du chien ?
  - Prix d'achat ?
- Dans le cas d'un chien de race pure, le vendeur vous offre-t-il :
  - Un contrat de vente indiquant que le chien est en fait de race pure et que le nom de la race y est inscrit ?
  - La confirmation que le chien est identifié de façon unique et permanente (micro puce ou tatouage) ?

> • La confirmation d'un certificat d'enregistrement valide des parents, de la portée (si applicable) et du chien que vous êtes en train d'acheter ?
> • Le prix total d'achat pour le chien ?
> ■ Le vendeur vous donne-t-il une garantie écrite qui énumère :
> > • Les détails spécifiques quant à sa politique de retour ou des arrangements qu'il entend offrir en guise de compensation dans l'éventualité qu'un problème de santé/maladie ne survienne, avec les délais qui s'y appliquent ?
> > • Ce qui est attendu de l'acheteur (c.-à-d. visite chez le vétérinaire à l'intérieur d'un certain laps de temps) ?
>
> *(Source : www.animaquebec.com, 2005.01.30)*

Que signifie l'« Affixe » d'un chien ?

Lorsqu'une personne désire faire un élevage de chiens de race, elle présente une demande à Société Centrale Canine en précisant le nom qu'elle souhaite donner à son élevage. Ce nom, appelé « affixe » sera la marque des chiens de cet élevage et restera lié à la chienne qui donne naissance à des chiots. Si des chiots sont produits entre deux chiens issus d'élevages différents – ayant donc deux affixes différents – ces chiots porteront l'affixe de la mère. En revanche, un chien issu d'un élevage qui saille une chienne sans affixe, produira des chiots qui n'auront pas d'affixe.

LES RECOURS

Au cas où votre chien présenterait après l'achat un défaut – un vice – qui vous aurait été caché, vous avez la possibilité d'un recours juridique qui annulera la vente. Vous obtiendrez alors le remboursement ou si vous le désirez, l'échange avec un autre chien. Les vices qui mènent à ce genre de recours, – dits « vices rédhibitoires » – sont surtout liés aux maladies graves, telles que l'Hépatite contagieuse ou Maladie de Rubarth, la Maladie de Carré, l'atrophie rétinienne, la Parvovirose, la Dysplasie coxo-fémorale, l'Ectopie testiculaire. Un délai de suspicion est donné pour chacune de ces maladies afin de déterminer si elles sont ou non imputables à l'éleveur.

En ce qui concerne d'autres maladies, considérées comme des vices cachés, l'acheteur doit contacter un vétérinaire dans les plus brefs délais pour apporter la preuve qu'elles ont bien été contractées avant la vente.

LUI DONNER UN NOM

S'il doit vraiment faire partie de la famille, tout comme les autres membres, il a droit à un prénom. Choisissez celui-ci de préférence court, trois syllabes au maximum, avec une voyelle sur laquelle pèse l'intonation, comme Baji, Roll, Snapp, par exemple. Répétez-lui souvent son nom afin qu'il l'intègre et puisse savoir que c'est bien à lui que vous vous adressez.

Le savez-vous ?

Près des deux tiers de l'ensemble des répondantes (64 %) utilisent aussi un surnom ou un terme affectueux pour leur petit compagnon.

(Source : sondage Ipsos-Reid réalisé pour le compte de Pfizer Santé animale auprès de 700 femmes canadiennes âgées entre 25 et 54 ans. Mars 2001)

Chapitre 3

L'éduquer

Certes, éduquer un chiot prend du temps, mais dites-vous qu'une éducation bien conduite permettra non seulement le bon développement intellectuel et psychique de votre petit compagnon, mais assurera aussi votre tranquillité personnelle . Obéir à des règles précises sécurise un chien, le rassure et le rend prêt à faire ce que l'on attend de lui.

QUI EST LE MAÎTRE ?

La question ne se posera pas avant l'âge de six mois – l'âge de la puberté – et la réponse dépendra de la façon dont ce jeune chien vous perçoit. Si, pendant la première phase de son éducation, vous avez su vous montrer fiable, donner des ordres précis sur un ton toujours égal et ferme, votre statut de maître restera inchangé et vous serez obéi autant que respecté.

LA HIÉRARCHIE

Si les règles sont bien établies lors de l'apprentissage, à savoir qui est le maître auquel le chien doit obéir, la hiérarchie se constituera tout naturellement. Bien entendu, il faut que l'entente dans la famille règne sur ce point, car si l'un des membres adopte une attitude différente de celle du maître en donnant par exemple des ordres contraires, le chien sera « déboussolé », et manifestera de l'anxiété, de l'hésitation, ou pourra abuser de la situation pour en tirer des avantages.

Le savez-vous ?

54,1 % des Canadiens possédant un animal de compagnie lui offre un cadeau à Noël.

(Source : sondage réalisé par Léger Marketing en mars 2001 à la grandeur du Canada)

L'AUTORITÉ CONTESTÉE

Prenez-y garde ! Si vous pensiez qu'en grandissant le chiot vous considérerait toujours comme le maître, vous vous trompiez, car il a besoin d'un chef et s'il a perçu des failles dans votre système éducatif, vous serez déconsidéré à ses yeux et il se comportera de façon à prendre le pouvoir à votre place. On a souvent vu des maîtres étonnés de voir en quelques semaines leur chiot si craquant se transformer en « ado » insupportable !

L'AFFECTION

Donnez-lui de l'affection et il vous le rendra au centuple ! Rares sont les propriétaires de chiens qui ne parlent pas de leur chien

comme de leur plus précieux ami. Certains même, – particulièrement les « désenchantés » de la race humaine –, reportent tout
leur amour sur ce compagnon fiable, fidèle, attentif et attentionné.
Pour les enfants, il est souvent le confident privilégié, celui à qui
l'on souffle à l'oreille les peines qu'on ne rapporterait pas aux parents et la complicité affective se joue alors sur un mode fusionnel.

Le savez-vous ?

La plupart des femmes propriétaires d'animaux de compagnie (82 %) étreignent ou caressent leur chien ou leur
chat au moins quatre fois par jour.
Près de 40 % disent étreindre leur animal plus de 10 fois
par jour.
Six sur dix disent que leur animal dort dans leur cham-
bre la nuit.
Tout près d'un tiers (31 %) célèbre l'anniversaire de leur
chien ou de leur chat.

*(Source : sondage Ipsos-Reid réalisé pour le compte de Pfizer Santé
animale auprès de 700 femmes canadiennes âgées entre 25 et 54
ans. Mars 2001)*

LA PROPRETÉ

La douceur et la patience sont recommandées pour éduquer
votre chiot à la propreté. La colère ou la punition ne ferait que

retarder l'apprentissage et risquerait de traumatiser le chiot qui associerait alors le fait d'éliminer à une faute.

Aussi, ne soyez pas trop pressé : un comportement inné le poussera dès l'âge de 3 semaines, à quitter spontanément son panier ou son coussin pour faire ses besoins, ce qui ne veut pas dire qu'il ne souillera pas un endroit – ou plusieurs – de votre habitation. Mais sachez alors délimiter un lieu d'élimination, au début non loin de son couchage, où sera entreposé un bac à litière (plus grand que celui d'un chat) ou plusieurs feuilles de journaux ou encore des couches pour bébé. Un chiot, jusqu'à sa huitième semaine, élimine toutes les heures dans la journée et toutes les deux heures la nuit. Si vous ne voulez pas que l'habitude de faire ses besoins à la maison perdure, il sera nécessaire, avant sa quinzième semaine, de l'habituer à éliminer à l'extérieur de la maison, dans le jardin pour ceux qui en possèdent un, dans les caniveaux pour les moins chanceux...

Le savez-vous ?

40 % des propriétaires de chiens serrent leur animal contre eux en guise de marque d'affection.
48 % des répondants affirment que l'amour inconditionnel que leur porte leur chien les aide à relaxer.

(Source : Firme Compas pour le compte de Ralston Purina. Février 1999. Sondage fondé sur une enquête auprès de 1240 propriétaires de chiens)

Et n'oubliez surtout pas, pendant cet apprentissage, de féliciter chaleureusement de la voix et du geste votre chiot chaque fois qu'il aura fait correctement ses besoins dans son lieu réservé. Sachant qu'il vous fait plaisir, il comprendra vite ce que vous attendez de lui et ce rituel ne sera plus une contrainte, mais l'occasion pour lui de vous rendre heureux.

Enfin, si vous avez pris la précaution de rapprocher au fil des jours « ses toilettes » de la porte d'entrée, le passage de l'intérieur à l'extérieur se fera plus facilement. Aussi, dès que vous le verrez se diriger vers le petit endroit pour éliminer, devancez-le pour lui ouvrir la porte et tout naturellement, il se retiendra le temps d'aller dans le jardin ou de vous attendre pour que vous l'emmeniez jusqu'au caniveau.

Ne punissez jamais votre chiot si vous découvrez avec retard qu'il a fait ses besoins là où il ne devait pas. En revanche, la punition sera comprise si vous le prenez sur le fait et le grondez d'une voix ferme. Sachez aussi que si l'odeur du lieu qu'il a souillé persiste, l'attraction qu'elle exerce sur son flair le conduira à refaire ses besoins au même endroit. Aussi, veillez à bien désinfecter cet endroit avec un désodorisant naturel ou avec du vinaigre blanc. Surtout pas d'eau de Javel ou de produits ammoniaqués dont l'odeur évoque pour le chien celle de l'urine, avec le risque qu'il s'approprie cet endroit pour en faire définitivement ses toilettes personnelles !

Dernière recommandation : dès qu'il se sera habitué à faire ses besoins à l'extérieur, sortez-le à heures régulières, le matin et le soir, après ses repas et ses périodes de repos ou de jeux.

LE LAISSER SEUL

L'habituer à la solitude fait aussi partie de son éducation, car conditionné par 15000 ans de vie en groupe, ce n'est pas sans angoisse que le chien affronte le fait de rester seul.

Conseil...

Quelques conseils précieux pour faciliter cet apprentissage : avant votre départ, évitez de vous occuper plus qu'il ne faut de votre chiot, de le cajoler, de vous « excuser » de le laisser seul. S'il ne comprend pas tout à fait le sens des mots, il sera sensible à votre intonation. Pour vous attendrir, il se mettra alors à gémir, à pleurer. Si vous redoublez d'attention à son égard, dites-vous qu'il aura vite compris comment vous apitoyer et la séparation deviendra de plus en plus difficile de part et d'autre. Aussi, préparez votre sortie sans effusions, laissez-lui quelque chose qui vous appartient, un vieux foulard, une pantoufle usagée, et laissez la radio ou la télé allumée. Ainsi, il sera sécurisé, et si vous savez adopter le même comportement à votre retour, c'est-à-dire sans manifestations intempestives de retrouvailles, alors le chiot s'habituera sans difficulté à rester seul.

Sachez que pour que cet apprentissage se fasse en douceur, il faut qu'il commence très tôt, dès que le chiot est intégré à la maisonnée. Pour l'habituer à ne plus vous voir ou vous entendre constamment, vous commencerez pas des séparations de très courte durée, puis plus longues et enfin vous ferez ce que vous avez à faire à l'extérieur en prenant votre temps. Votre chiot comprendra ainsi que partir et revenir font partie d'un même rituel et que rester seul ne signifie pas être abandonné.

LA MARCHE EN LAISSE

Le grand jour est arrivé ! Première laisse, première sortie « en ville ». Voyons comment il peut accepter sans trop rechigner d'être pourvu de ces accessoires indispensables que sont le collier – ou le harnais – et la laisse.

LE COLLIER

Gêné les premiers temps par cet encombrant objet qui lui enserre le cou, il tentera de s'en défaire en y glissant sa patte ou en tentant de l'agripper avec sa mâchoire si le collier est insuffisamment serré. Ajustez-le bien et ne l'ôtez pas jusqu'à ce que le chiot n'y prête plus attention. À ce moment-là, la laisse pourra être utilisée et, associée à la sortie, deviendra synonyme de promenades et de joyeuses rencontres avec ses congénères.

Marcher correctement attaché à une laisse demande au chien de se conformer à certaines règles que le maître doit lui enseigner.

Tout d'abord, il est important qu'il prête l'oreille aux ordres que vous lui donnerez, ce qui ne sera pas évident au début, car les distractions de la rue, les bruits, les odeurs, capteront tous ses sens. Apprenez-lui à marcher près de votre jambe et toujours du même côté, la laisse souple, suffisamment flottante pour que s'il tente d'accentuer l'allure de la marche et dépasser votre jambe, vous puissiez le rappeler à l'ordre d'une petite traction.

Ensuite, ne le laissez pas enrouler sa laisse autour de vos jambes, faire marche arrière ou se retourner continuellement. Chaque fois qu'il obéira à vos ordres, félicitez-le de la voix ou d'une caresse, l'apprentissage sera toujours facilité par la récompense plutôt que par la punition. Un « non ! » ferme et bien appuyé précédé du nom du chien, fera mieux qu'un coup de laisse accompagné d'un éclat de voix.

L'ATTACHER

La question se posera surtout pour les chiens qui vivent à l'extérieur de la maison, dans une niche, dans un jardin, et qui présentent un danger, soit de faire une fugue, soit d'être agressif envers un visiteur. À vous de savoir ce qui est préférable pour votre tranquillité, mais sachez qu'attacher en permanence un chien peut contribuer à augmenter son agressivité ou à l'inverse, à le rendre dépressif.

LA CAGE

C'est l'équivalent de la prison. Un chien derrière des barreaux offre l'image d'une victime en souffrance. Il n'y a qu'à voir les animaux dans les refuges ou les animaleries pour s'en rendre compte. Bien entendu, pour certains chiens, il y a des cas où la cage s'impose, notamment lorsqu'il s'agit de les transporter d'un lieu à un autre.

LE DRESSAGE

Il peut y avoir une différence entre éduquer un chien et le dresser. Nous avons vu que l'éducation concernait surtout l'apprentissage de la propreté, de la solitude et la marche en laisse. Le dresser, c'est l'habituer à répondre à des ordres précis et à les exécuter à la seconde. Si vous avez adopté un chien dans l'intention d'avoir un animal de compagnie auprès de vous, le dressage sera plus sommaire que si vous voulez en faire le gardien sûr de votre habitation. Généralement, le dressage des chiens destinés à des rôles spécifiques – chiens de garde, chiens détecteurs de drogue, chiens sauveteurs, chiens accompagnateurs pour les non-voyants ou les personnes à mobilité réduite – est confié à des maîtres-chiens confirmés et accrédités.

Pour le dressage facile, que nous appellerons « sommaire » voici quelques notions de base :

Le chien doit comprendre la signification du « **NON** », « **VIENS** », « **ASSIS** » et « **COUCHÉ** ». Ainsi,

« **NON** ! » ne doit pas être formulé sur un ton menaçant ou coléreux. Il doit simplement être dissuasif, destiné à stopper net un acte que le chien s'apprêtait à commettre de sa propre initiative. Vous êtes le maître, c'est à vous qu'il doit obéir.

« **VIENS** ! » doit toujours être précédé du nom du chien. Si celui-ci n'obéit pas immédiatement, ne le grondez pas, mais cachez-vous afin que s'il ne vous voit pas, qu'il se sente perdu. Ainsi, dorénavant, par peur de vous perdre, il apprendra à obéir au premier commandement. Et surtout, n'oubliez jamais de le féliciter quand il répond vite à votre ordre, car répétons-le, l'apprentissage en sera grandement facilité.

« **ASSIS** ! » et « **COUCHÉ** ! ». Profitez de ces deux positions qui lui sont naturellement familières pour formuler ces mots au moment où le chien adopte l'une ou l'autre. De cette façon, ces mots seront associés à ces postures et il obéira spontanément quand vous lui intimerez l'ordre de s'asseoir ou de se coucher. Accompagnez cet ordre d'un geste de la main, index levé, et vous verrez qu'au bout d'un certain temps, il obéira au seul geste. Une friandise ou une caresse le récompensera d'avoir bien compris la leçon.

Conseil...

Si vous savez à l'avance que vous n'aurez pas « une main de fer » pour vous faire obéir de votre chien, avant tout achat ou adoption, renseignez-vous sur les races plus faciles à éduquer, ou bien faites-le dresser par un professionnel.

LE FAIRE GARDER OU L'AMENER ?

C'est affaire de choix et de possibilités. Certains, par amour de leur chien, vont jusqu'à renoncer à voyager par crainte qu'en se séparant de lui, il devienne dépressif. Ce qui peut arriver si l'animal est attaché d'une manière fusionnelle à son maître.

D'autres acceptent de le confier, soit à une personne qui le connaît bien, soit à une « garderie » où ils seront assurés que leur chien sera l'objet de soins et d'attentions équivalents à ceux qu'eux-mêmes leur prodiguent à la maison.

Le savez-vous ?

Environ un quart (26 %) des répondantes emmènent leur animal de compagnie en vacances avec elles.

(Source : sondage Ipsos-Reid réalisé pour le compte de Pfizer Santé animale auprès de 700 femmes canadiennes âgées entre 25 et 54 ans. Mars 2001)

Chapitre 4

Vivre avec son chien

Si vivre avec son chien est source de joies, se plier à certaines servitudes, notamment au sujet de son hygiène, ne devrait pas vous sembler trop contraignant, même si ces soins demandent une attention régulière.

LES SOINS DE BASE

L'indispensable toilettage lui garantira une bonne santé, sinon, parasites, maux d'oreilles, de dents, maladies de peau, odeurs nauséabondes, auront tôt fait de lui rendre la vie pénible, et par voie de conséquence, la vôtre également.

SON PELAGE

Le pelage d'un chien est le meilleur indicateur de sa santé et c'est quand vous le brosserez ou le peignerez que vous saurez à quoi vous en tenir sur les parasites éventuels, genre puces ou tiques, qui auraient trouvé gîte et nourriture sur sa peau.

Sachez que les chiens à poil long nécessitent un démêlage quotidien à l'aide d'une brosse douce pour éviter nœuds et bourres ainsi qu'un brossage pour éliminer poussières et poils morts. Le brossage a cette même utilité sur les chiens à poil mi-long qui, lui, réclame une brosse dure. Pour les chiens à poil ras, une brosse souple fera l'affaire, et pour les chiens à poil dur, vous emploierez de préférence une étrille. Le peignage final sera exécuté au peigne fin pour les endroits sensibles comme les oreilles, le dessous du cou et de la queue.

D'une façon générale, ces séances de démêlage et de brossage doivent être l'occasion de vous livrer à une inspection générale de l'état de la peau de votre chien. Si vous détectez la moindre anomalie, pelade, eczéma, boutons, piqûres, informez-vous auprès de votre vétérinaire afin d'appliquer le topique adéquat.

Enfin, baignez votre chien régulièrement avec un shampoing spécifiquement adapté à son pelage. Comme les cheveux des humains, les chiens ont des types de pelage différents, aussi choisissez bien celui qui convient et surtout, n'utilisez pas votre propre shampoing, car la peau du chien est plus fine et plus sensible que la peau humaine.

En appliquant le shampoing, surtout prenez soin d'éviter ses yeux, bouchez-lui les oreilles avec une compresse ou du coton et suivez les conseils qui vous sont donnés plus bas concernant ces organes particulièrement sensibles.

Le savez-vous ?

Les chiens de couleur pâle peuvent attraper des coups de soleil.

Habituellement, les chiens muent au printemps et à l'automne, mais en raison de l'éclairage électrique présent dans nos foyers, la mue se produit toute l'année durant.

(Source : www.santeanimale.ca, 2005.01.28)

SES DENTS

L'Association canadienne des médecins vétérinaires soutient que la santé dentaire peut contribuer à améliorer l'état de santé général, la qualité de vie et la durée de vie des animaux. Inversement, les maladies qui touchent d'autres organes ou d'autres systèmes peuvent influer sur la santé dentaire.

Comme chez les humains, des dents saines représentent une garantie santé de tout premier plan. Mais, concrètement, qu'est-ce que cela veut dire chez notre chien ? Comment l'aider à conserver une bonne dentition, de bonnes gencives ?

La réponse est dans l'attention que vous porterez à son hygiène buccale pour éliminer tout risque d'infection des dents et des gencives, d'entartrage, de déchaussement et de mauvaise haleine. Pour ce faire, brossez-lui les dents à l'aide d'une brosse à dents pour chiens ou d'un doigtier sur lequel vous aurez étendu de la pâte dentifrice spécifiquement élaborée pour la gent canine. Vous pouvez aussi lui vaporiser dents et gencives à l'aide d'un spray également spécifique ou lui donner des lamelles à mâcher ou encore des comprimés nettoyants à broyer.

Le savez-vous ?

Le dentifrice humain n'a pas bon goût pour les chiens et certains ingrédients peuvent les rendre malades. Il se vend des dentifrices pour animaux qui devraient être utilisés pour brosser les dents de votre animal de compagnie. De délicieuses variétés au thon, au bœuf et aux fruits de mer sont offertes.

(Source : www.santeanimale.ca, 2005.01.28)

SES OREILLES

On connaît l'importance de l'ouïe chez les chiens, aussi les oreilles devront être l'objet de soins très attentifs. Avant tout, si votre chien est pourvu d'oreilles tombantes ou très poilues, il faudra épiler les poils en surnombre dans le conduit auditif, en retroussant l'oreille et en la maintenant à plat contre la tête. Surtout, n'utilisez pas de coton-tige pour enlever l'excès de cérumen. Faites d'abord couler quelques gouttes de lotion antiseptique spécifique dans le conduit auditif, puis massez sans brusquerie l'oreille par petits mouvements circulaires pour aider le cérumen à se détacher. Ensuite, laissez le chien s'ébrouer et terminez le soin en nettoyant l'oreille avec un coton absorbant.

SES YEUX

Là aussi, le nettoyage quotidien, attentif et minutieux, épargnera à votre chien les désagréments d'un larmoiement que les poussières, la pollution, les poils, lui infligent.

Pour être efficace, le nettoyage devra se faire à l'aide d'une lotion spécifique ou, comme pour les bébés, avec du sérum physiologique dont vous imbiberez une compresse stérile à appliquer sur l'un et l'autre œil.

SES ONGLES ET COUSSINETS

À surveiller également le dessous des pattes et la taille des ongles. Le dessous des pattes, surtout pour les chiens qui font des sorties sur des sols cailouteux, couverts de salissures, ou des chemins forestiers, et les ongles pour les chiens de « maison » qui font de brèves sorties à l'extérieur. Les interstices entre les coussinets retiennent souvent des petits cailloux, des morceaux de branchages, certains détritus de la rue qui pourraient causer des infections ou des plaies. Dans ce cas, une pince à épiler fera l'affaire pour extraire ces hôtes indésirables. Pour couper les ongles, servez-vous d'une pince spécialement conçue pour cet usage, mais soyez attentif à ne pas blesser la partie rose, très innervée, donc particulièrement sensible, ce qui provoquerait non seulement une très vive douleur, mais un saignement abondant. En cas de doute sur vos capacités à accomplir ce soin, demandez à votre toiletteur ou à votre vétérinaire de le faire.

Le savez-vous ?

Les chiens se rafraîchissent par leurs langues et transpirent seulement par le museau et les coussinets des pattes. Quand les chiens ont chaud, ils halètent et leur langue peut se gonfler de deux à trois fois sa taille normale pour aider à libérer l'excès de chaleur corporelle.

(Source : www.santeanimale.ca, 2005.01.28)

LE NOURRIR

Voici un chapitre important, car la santé de votre chien dépendra pour beaucoup de la façon dont le nourrirez et c'est dès son plus jeune âge qu'il faudra mettre en pratique les bons principes alimentaires.

Il faut avoir en tête que, tout comme l'être humain, le chien doit pouvoir trouver dans une nourriture équilibrée – et non seulement carnée, comme on a trop souvent tendance à le croire – les éléments indispensables à une croissance harmonieuse et au bon fonctionnement de son organisme.

Voyons ce qu'il est important de savoir sur les éléments qui devraient composer au quotidien sa ration alimentaire :

LES PROTÉINES

Elles se trouvent dans la viande, les œufs, le poisson, les produits laitiers et sont indispensables à la constitution, à la régénération des organes vitaux, du système musculaire et du squelette en général.

LES LIPIDES (OU ACIDES GRAS)

Ils sont présents dans le beurre, les margarines, les huiles végétales et les viandes grasses. Le bon développement du système nerveux, la santé de la peau et la beauté du pelage sont étroitement liés à leur apport en quantité suffisante, d'autant plus que ces acides gras contiennent des vitamines et fournissent l'énergie nécessaire au corps.

LES GLUCIDES

Le riz, les pâtes et diverses céréales en contiennent une quantité importante. Riches en sucres lents, en cellulose et en amidon, par l'énergie qu'ils dégagent, ils sont le véritable « carburant » du muscle. Surtout, ne les faites pas cuire « al dente », car leurs bonne digestion et assimilation dépendent d'une cuisson prolongée.

LES LÉGUMES VERTS

Ils sont indispensables pour le bon fonctionnement des intestins. Riches en fibres, ils minimisent les flatulences et empêchent les toxines de se répandre dans l'organisme.

LES VITAMINES ET MINÉRAUX

Si la ration alimentaire comprend les éléments nutritifs précités, les vitamines essentielles – A, D, K et E – seront absorbées en quantité suffisante. Inutile d'acheter des vitamines du commerce, sauf si votre vétérinaire le prescrit, car un excès de vitamines peut altérer gravement la santé de votre animal préféré. Même chose pour les minéraux qui, en quantité normale, jouent un rôle de tout premier plan dans la formation et la croissance des os. Trop ou trop peu de minéraux seront dangereux pour l'organisme. Ajoutons que les produits laitiers, le poisson et la poudre d'os sont d'excellents apports en minéraux.

Le savez-vous ?

- Les chiens sont « omnivores », comme les personnes et les cochons, cela signifie qu'ils peuvent se nourrir d'aliments provenant de sources animales et végétales.
- Les chiens ne digèrent pas très bien les fruits et les légumes crus, mais, en petite quantité, ils servent de laxatifs.
- La viande et le poisson crus sont des sources potentielles de microbes et de parasites nocifs, les chiens devraient donc manger de la viande cuite.

(Source : www.santeanimale.ca, 2005.01.28)

LES ÉLÉMENTS NÉCESSAIRES SELON LES ÂGES

Chaque âge a ses besoins spécifiques. S'il faut assurer la croissance du chiot par une alimentation riche en protéines, il est certain que celle d'un chien en pleine force de l'âge, ou de celui aux forces déclinantes, devra être ajustée en fonction de ses activités.

LE CHIOT

Jusqu'à l'âge de quatre mois, le chiot, dont l'appareil digestif n'est pas accoutumé à digérer, devra recevoir plusieurs petits repas par jour et ce, à heures fixes. Au fur et à mesure de sa croissance, les repas s'espaceront pour passer de trois à deux rations. La rapidité avec laquelle le chiot grandit nécessite un réajustement constant de son régime alimentaire. Si vous craignez les carences et si cela devient pour vous une préoccupation majeure, vous pourrez acheter les croquettes « spécial chiot » vendues dans le commerce et qui contiennent tous les éléments nutritionnels indispensables à sa croissance, avec les dosages requis.

LE CHIEN ADULTE

À partir de 12 mois, votre chien ne devra plus recevoir qu'un seul repas par jour s'il est sédentaire et de taille petite à moyenne, et deux rations s'il a une vie active, sportive ou s'il est de grande taille. Bien entendu, il s'agit de généralités, aussi dans le doute, demandez conseil à votre vétérinaire. Lui seul connaît votre chien et son rythme de vie.

LE CHIEN ÂGÉ

Là aussi, il n'y a pas de règles strictes. D'une façon générale, on sait que les chiens de races petites ou moyennes ont une longévité supérieure à celle des chiens de grandes races. Le début du vieillissement pour les premiers se situerait vers l'âge de 7 ans, et pour les seconds vers l'âge de 5 ans. Aussi, lorsqu'on parle de réduire l'alimentation du chien âgé, on devrait prendre d'abord en considération le rythme de vie qui est encore le sien : est-il toujours très actif, moyennement actif ou bien passe-t-il son temps à dormir, à rechigner au moment des sorties, ou encore a-t-il tendance à prendre du poids ? C'est la réponse à ces questions, en concertation avec votre vétérinaire, qui vous guidera sur les apports nutritionnels à lui fournir. Cependant, si vous demeurez dans l'incertitude par rapport aux rations, sachez que, comme pour le chiot, il existe des gammes d'aliments « spécial chiens âgés » ou « senior » parfaitement adaptés aux besoins de votre chien, quel que puisse être son degré d'activité.

L'EAU

Pensez-y en permanence ! Vérifiez que son bol d'eau est toujours rempli d'eau fraîche dépourvue de résidus. L'eau est un élément vital pour le chien comme pour l'homme et n'oubliez surtout pas qu'un chiot risque la déshydratation s'il ne s'abreuve pas plusieurs fois par jour. Aussi surveillez attentivement ce point et sachez aussi qu'un litre d'eau par jour est indispensable au bon fonctionnement de l'organisme d'un chien pesant une vingtaine de kilos. À partir de cette information, calculez la bonne quantité à fournir à votre compagnon à quatre pattes.

LES REPAS À HEURES FIXES

Soyez ferme sur ce chapitre. Une fois que vous saurez les quantités à lui donner en fonction de son âge et de son poids, tenez-vous-y. De bonnes habitudes données très tôt au chiot guideront son attitude future devant la nourriture. Ainsi, les heures des repas devront être impérativement fixées et s'il ne s'est pas alimenté lorsque son écuelle est remplie, retirez-la-lui au bout de quinze à vingt minutes. Il comprendra très vite – surtout si vous ne lui accordez rien en dehors de ses repas –, qu'il a intérêt à se nourrir au moment fixé et vous éviterez ainsi qu'il ne vous importune vous ou vos convives au moment de vos propres repas.

QUEL TYPE D'ALIMENTATION ADOPTER ET QUELS ALIMENTS PROSCRIRE ?

Nous avons vu précédemment qu'il est très important de fournir une alimentation bien dosée en éléments essentiels, ce qui ne veut pas dire que vous devez préparer des « menus » spéciaux et variés pour votre chien. Quand vous saurez ce qui lui convient et qu'il appréciera ce que vous lui servez, il sera inutile de changer « la recette ».

Au sujet de l'alimentation, vous aurez le choix entre lui composer des repas « faits maison » en utilisant les mêmes ingrédients que ceux que vous utilisez pour vous-même, ou bien avoir recours à l'alimentation industrielle. Dans le premier cas, veillez bien à ce que ces repas comportent tous les éléments indispensables décrits plus haut. En qui concerne l'alimentation industrielle, si elle offre une gamme de produits parfaitement adaptés aux besoins nutritionnels de chaque catégorie de chien, il existe différentes qualités sur lesquelles il sera judicieux de vous renseigner, car généralement les plus bas prix n'offrent pas les garanties suffisantes pour fournir à votre chien les nutriments essentiels à sa santé.

Parmi les types d'aliments proposés sur le marché, vous aurez à choisir entre les croquettes, les aliments semi-humides, les aliments en boîte et les soupes. Soumettez l'un ou l'autre de ces produits à votre chien et adoptez celui qui aura sa préférence. Répétons-le, à moins d'acheter des aliments bas de gamme, la plupart des produits sont parfaitement élaborés d'un point de vue diététique.

Voici quelques précisions sur les avantages et les inconvénients de ces aliments :

Les croquettes

Les croquettes ont le grand avantage de fortifier dents et gencives en obligeant le chien à croquer. À noter que le tartre se formant plus lentement, la santé de l'appareil bucco-dentaire s'en trouve renforcée. Autres avantages : leur coût souvent inférieur aux autres aliments et leur stockage aisé. Inconvénients : leur faible teneur en eau oblige à veiller à ce que le chien s'abreuve suffisamment et l'à-peu-près des repères pour distribuer la juste ration entraîne le risque que celle-ci soit excessive ou au contraire carencée.

À privilégier : les croquettes dites « premium », véritable aliment complet de très haute qualité. S'il est vrai que leur coût est plus élevé que la plupart des produits sur le marché, leur pouvoir nutritif et leur parfaite assimilation par le système digestif, réduisent d'une façon appréciable leur consommation.

Les aliments semi-humides

Bien dosés, également bien conditionnés, leur inconvénient majeur vient de la difficulté à les conserver une fois ouverts s'ils ne sont pas consommés rapidement. De plus, leur richesse en glucides (sucres) en fait des aliments à proscrire aux chiens atteints de diabète ou d'embonpoint.

Les aliments en boîte

Pratiques pour servir un repas complet comprenant viande ou poisson, accompagné de légumes et céréales. Il existe également des boîtes qui ne contiennent que de la viande à laquelle vous ajouterez céréales et légumes de votre choix. Sachez que ces aliments contiennent une forte proportion d'eau et que pour servir l'équivalent de 100 grammes de croquettes, il vous faudra 500 grammes de ces aliments. Pensez au coût si vous avez un chien grande race.

LES SOUPES

Constituées d'aliments précuits déshydratés. Il suffit de les réhydrater en leur versant la quantité d'eau chaude indiquée, de les remuer puis de les laisser gonfler quelques minutes avant de les servir à votre chien. Ces soupes offrent un repas diététique complet, parfaitement équilibré.

LES ALIMENTS À PROSCRIRE IMPÉRATIVEMENT

Les aliments à proscrire impérativement sous peine d'occasionner des désordres intestinaux plus ou moins graves, de favoriser certaines maladies ou de les aggraver. En voici la liste :

- Les haricots secs, pommes de terre, pois chiches, navets, choux, oignons, pain frais, céréales crues ou mal cuites. Ces aliments sont souvent à l'origine de diarrhées et de flatulences.
- Le lait, le café, le chocolat, le sel, le sucre sous toutes ses formes, la charcuterie en général y compris la viande de porc, le poisson cru, les graisses animales. Tous ces aliments contiennent plus ou moins de toxines (théobromine pour le chocolat, caféine pour le café), dont certaines peuvent même entraîner la mort (le sel également).
- Les charcuteries sont toxiques pour le foie en raison de leur forte teneur en conservateurs.
- Quant aux graisses et aux sucreries, elles représentent un danger mortel pour le chien diabétique ou obèse.

Le savez-vous ?

Il n'est pas bon de donner des os à manger aux chiens. Les os durs peuvent briser les dents et les morceaux, les éclats et les fragments d'os peuvent rester pris dans le système digestif, causant des déchirements ou des blocages.

(Source : www.santeanimale.ca, 2005.01.28)

LES RISQUES EN CAS D'EMBONPOINT

Vous aimez gâter votre chien et souhaitez le garder longtemps, aussi, quitte à le restreindre, veillez à ce qu'il ne prenne pas trop de poids. En effet, il est important de savoir que l'obésité a de nombreuses et graves répercussions sur la santé de votre animal préféré, et la liste ci-dessous vous en donne un aperçu :

- Risque de diabète
- Baisse des défenses immunitaires
- Risques mortels accrus lors d'intervention chirurgicale (en cause, l'anesthésie)
- Arthrose et problèmes articulaires
- Espérance de vie réduite
- Risque d'hypertension
- Problèmes cardio-respiratoires

• Moindre endurance à l'effort
• Risque d'insuffisance hépatique.

Le savez-vous ?

En Amérique du Nord, plus de 25 % des animaux de compagnie sont obèses.

(Source : www.santeanimale.ca, 2005.01.28)

L'ACTIVITÉ PHYSIQUE DONT IL A BESOIN

Si vous ne voulez pas que votre chien prenne du poids, s'ennuie ou déprime, sortez-le pour des promenades autres que celles réservées à ses habituelles sorties « pipi ».

Un chien a besoin de sauter, courir, gambader et s'il n'a pas la chance de le faire dans la nature, laissez-lui la possibilité de se « faire les muscles » dans les rues de votre quartier. Pas facile, direz-vous ! Certes, mais à défaut de gambader, il inspectera, humera avec ravissement, les moindres recoins où son flair saura l'attirer. Et ne le tirez pas avec impatience ou dégoût quand il restera plusieurs minutes en extase devant une trace d'urine ou une déjection, c'est sa vie ! Et il sera toujours temps une fois rentré à la maison, de lui nettoyer pattes et museau pour en faire à nouveau un chien de maison correct et bien propret.

Conseil...

> *À vous de voir le temps dont vous disposez pour le promener, mais une grande promenade d'une heure est souvent plus profitable que trois petites d'un quart d'heure, en plus des sorties « pipi » bien entendu !*

JEUX ET SPORTS CANINS

Les chiens adorent jouer. N'hésitez pas à prendre un ballon, à faire la course avec lui, à lui jeter un objet pour qu'il le rapporte. Non seulement, ce genre de sport entretiendra son tonus musculaire, mais ce sera pour vous l'occasion idéale d'entretenir le vôtre !

Le savez-vous ?

18 % des propriétaires de chiens disent que faire de l'exercice régulièrement avec leur chien constitue le meilleur moyen de lui témoigner leur affection.

(Source : Firme Compas pour le compte de Ralston Purina. Février 1999. Sondage fondé sur une enquête auprès de 1240 propriétaires de chiens)

FAVORISER LA FAMILLE !

Arrive le jour où l'on s'aperçoit que l'adorable chiot s'est transformé en une jolie petite – ou grande – chienne, ou en un ardent petit – ou grand – chien ! Elle, avec ses premières chaleurs, lui avec son envie de fuguer pour retrouver celle qui l'attire irrésistiblement !

Et vous voilà soudain confronté à une étape importante de sa vie de chien, mais à laquelle vous n'aviez peut-être pas songé en adoptant ce chiot ! Alors, vous qui êtes peut-être inexpérimenté en la matière, comment aborder ce cap de la puberté de votre chien qui va lui permettre de devenir père ou mère ?

LE BON ÂGE

Pour la femelle, l'âge des premières chaleurs se situe, selon les races, entre 7 et 15 mois. Pour la faire saillir, on conseille d'attendre les troisièmes chaleurs. Bien qu'une chienne puisse procréer tous les six mois, une saillie par année est recommandée pour préserver son bon état physique, et ce, jusqu'à l'âge limite de huit ans.

Conseil...

Ne jamais exposer une chienne à une saillie tant que sa croissance n'est pas achevée, sa condition physique pourrait en souffrir.

En ce qui concerne le mâle, dès l'âge de 15 à 18 mois, il est apte à saillir, et cela, autant de fois qu'il le pourra, car on assure dans les milieux autorisés, que le nombre de saillies n'aurait pas d'incidence sur sa santé. À peu près à l'âge où la femelle n'est plus en condition de procréer, c'est-à-dire vers l'âge de huit ans, le pouvoir fécondant du sperme du chien s'amoindrit, signant ainsi la fin de sa carrière d'étalon.

LE CHOIX DU PARTENAIRE

Si vous voulez que vos futurs chiots soient beaux et d'une santé sans faille, soyez attentif au choix du partenaire. Avant tout, demandez le pedigree du mâle qui va saillir votre chienne et vérifiez bien que celui-ci ou ses ascendants ne sont pas porteurs de tares génétiques. Soyez vous-même vigilant en ayant fait examiner par votre vétérinaire la santé et l'absence de défauts génétiques de votre chienne.

Quand tout sera établi, choisissez le moment opportun du cycle qui se situe généralement entre le dixième et le quinzième jour des chaleurs. De toute façon, le comportement de votre chienne vous renseignera mieux que tout calcul sur la période propice d'accouplement. La queue dressée mettant à découvert la vulve imprégnée de sécrétions jaunes signalera le moment où la fertilité est à son maximum.

LA GESTATION

Elle va durer entre 57 et 65 jours. Si, pendant le premier mois de la gestation, votre chienne peut mener une vie normale, dès le début du second mois, elle aura droit à des attentions particulières. Ainsi, ne l'exposez pas à de longs voyages en voiture, ne l'associez pas à des sports violents ou à toutes sortes d'activités qui demandent des efforts soutenus. Donnez-lui une nourriture plus abondante et plus riche et mettez-la à l'écart des autres animaux de la maison si vous en avez. Et surtout, n'oubliez pas de lui administrer un vermifuge quinze jours avant la mise à bas afin d'éviter la contamination des chiots.

La naissance

La naissance normale

Le grand jour est arrivé ! Quelques jours auparavant, la chienne s'est montrée nerveuse et quelquefois a même refusé de s'alimenter. Toutes ces manifestations sont l'indice de l'imminence de la mise à bas. Profitez de ce laps de temps pour aménager un endroit tranquille où vous placerez sa corbeille que vous aurez pris soin de garnir de vieux chiffons ou de journaux.

Quand la mise à bas commencera, si tout se passe normalement, la chienne accomplira son travail sans que vous ayez besoin de l'aider. Contentez-vous de la surveiller et de l'accompagner par des paroles d'encouragements. Soyez prêt, si une complication survenait, à appeler votre vétérinaire.

La mise à bas peut durer entre six et huit heures pendant lesquelles la chienne, couchée sur le côté, est en proie à des contractions fortes et répétées. Au rythme de trente minutes environ, chaque chiot est expulsé, enrobé dans une poche que la chienne déchire afin de permettre au petit de respirer. Le placenta évacué après chaque naissance est immédiatement ingéré par la mère.

La naissance avec complications

N'hésitez pas à faire appel à votre vétérinaire si la mise à bas ne se déroule pas normalement, c'est-à-dire, si aucun chiot n'a encore fait son apparition deux heures après le début des contractions, ou s'il s'écoule plus de 2 heures entre chaque naissance malgré les efforts soutenus de la maman.

De même, si votre chienne est de petite race ou d'une race dont la tête est volumineuse, comme chez le bouledogue ou le carlin, l'accouchement peut nécessiter une césarienne. Prévoyez cette intervention avec votre vétérinaire.

Enfin, rappelez-vous qu'une gestation ne doit pas durer plus de 65 jours. Si ce délai est dépassé, interrogez d'urgence votre vétérinaire, il peut y aller de la vie même de votre chienne.

Si vous assistez seul à la mise à bas et qu'un chiot ne respire pas à la naissance, apprenez les gestes qui peuvent le sauver :

- Avant tout, débarrassez sa bouche des membranes qui y sont collées.
- Stimulez sa circulation sanguine en le frottant avec un linge.
- Afin d'évacuer les mucosités qui gênent sa respiration, maintenez-le tête en bas tout en le secouant légèrement.
- Pratiquez un genre de « bouche-à-bouche » en soufflant doucement dans sa bouche et son nez. Sa poitrine devrait alors se soulever.
- Enfin, essayez ce truc (qui réussit parfois) : placez-lui un grain de gros sel sur la langue afin de provoquer une brusque réaction.

APRÈS LA NAISSANCE

Le moment d'émotion passé, il faut songer aux précautions à prendre pour que la maman et les petits demeurent en parfaite santé. En ce qui concerne la maman, faites-la examiner le plus tôt possible par le vétérinaire afin de s'assurer que tout risque

d'infection ou d'inflammation est écarté. Il faut savoir que parfois, le placenta non expulsé peut provoquer un empoisonnement du sang, ou encore qu'un embryon mort et demeuré en place doit être extrait d'urgence. Les mamelles devront également être inspectées pour prévenir ou stopper toute inflammation. Enfin, si la chienne ne semble pas rassasiée par le repas que vous lui servez, n'hésitez pas à la nourrir autant de fois qu'elle le réclame, car l'effort fourni pour la mise à bas l'a vidée de ses forces et pensez que l'allaitement va en exiger d'autres.

Quant aux petits, ce qu'il leur faut avant tout, c'est de la chaleur, car ils seront incapables de réguler leur température avant une bonne semaine. Aussi, placez-les dans une pièce où règne une température avoisinant les 30°C pour que leur développement se fasse en douceur. En une dizaine de jours, s'ils tètent à volonté, ils auront doublé leur poids de naissance et pourront affronter des températures un peu plus modérées.

EMPÊCHER LA REPRODUCTION

Il vous appartient de conserver la condition « d'étalon » à votre chien, celle de « lice » pour une femelle, ou de mettre fin à leur faculté de se reproduire.

LA STÉRILISATION PAR CASTRATION

Cette opération consiste en l'ablation des testicules. Elle supprime définitivement l'instinct sexuel et rend le chien plus pacifique. Sachez, si vous éprouvez un sentiment de culpabilité, que la castration présente l'avantage de protéger l'animal contre des maladies de l'appareil génito-urinaire qui tôt ou tard se déclarent chez des chiens non castrés ou âgés.

Le savez-vous ?

La stérilisation et la castration précoces, en plus d'aider à contrôler la population d'animaux, sont bénéfiques pour les chiens en les protégeant contre certains cancers et infections des organes de reproduction plus tard dans la vie.

(Source : www.santeanimale.ca, 2005.01.28)

LA CONTRACEPTION PONCTUELLE

Vous envisagez peut-être une future gestation pour votre chienne qui maintenant a atteint l'âge de la puberté, mais vous souhaitez choisir le moment qui vous conviendra. En attendant, vous trouvez difficile de supporter les inconvénients de ses chaleurs, c'est-à-dire les écoulements de sang, sa nervosité, ses pleurs, ses gémissements. Pour interrompre le cycle et, de ce fait, faire cesser les chaleurs, il existe un traitement à base de progestagènes que le vétérinaire pourra lui injecter et qui devra être renouvelé tous les quatre à six mois. Ne prolongez pas cette pratique trop longtemps, car votre chienne pourrait voir sa fertilité diminuer lorsque vous serez prêt à la faire saillir. En outre, des risques de tumeur mammaire ou d'infection urinaire consécutifs à ce traitement ne sont pas à exclure.

Conseil...

La castration augmentant les risques d'obésité, réduisez son alimentation ou faites-lui pratiquer des activités physiques le plus souvent possible.

LA STÉRILISATION DÉFINITIVE

Cette opération – l'ovariectomie – consiste en l'ablation des ovaires. La chienne est ainsi délivrée de son cycle sexuel avec son cortège de chaleurs. Comme pour le chien, la stérilisation offre des avantages sur la santé de votre chienne en réduisant les risques d'infection utérine, de diabète, de tumeur mammaire ainsi que les troubles comportementaux induits par les chaleurs. L'inconvénient majeur est de favoriser la prise de poids. Il vous reviendra d'alléger ses repas en conséquence.

Chapitre 5

Le soigner

Le soigner voudrait dire qu'il a peut-être déjà contracté une maladie, ou en tout cas qu'il présente des symptômes nécessitant des soins. Aussi, pour éviter à votre chiot toutes sortes de maux plus ou moins graves, soyez vigilant et adoptez l'attitude la plus sûre : la prévention.

VISITES CHEZ LE VÉTÉRINAIRE

Ces visites sont indispensables. Vous devrez emmener régulièrement votre chien chez un vétérinaire afin que celui-ci procède aux examens d'usage et mette à jour le carnet de santé de votre animal.

Si le jour de la visite, un symptôme qui vous avait inquiété semble avoir disparu, par mesure de précaution, faites-en tout de même part au vétérinaire, car il pourrait s'agir d'une affection naissante.

Voici quelques symptômes qui devraient vous alerter :

- Le refus de bouger, de manger, de jouer. Le manque de réactions
- La présence de sang dans les urines ou les selles
- Les vomissements, les diarrhées prolongées
- L'amaigrissement rapide
- Les écoulements de pus ou de sang par le nez
- Les difficultés respiratoires ou cardiaques
- La température corporelle anormale

Pour savoir s'il a de la température, ne vous fiez pas à sa truffe, mais servez-vous d'un thermomètre auparavant lubrifié. Vous pourrez aussi compter ses pulsations cardiaques sur l'artère fémorale, en appuyant le pouce sur la face externe de la cuisse tandis que l'index et le majeur appuieront en même temps sur la face interne de la cuisse. Apprenez également à évaluer le rythme, l'ampleur ainsi que le nombre de ses respirations par minute, en observant attentivement son thorax.

Tout ceci en sachant que la température du chiot est normale entre 38 et 39°C, sa fréquence respiratoire (par minute) entre 20 et 22, ses pulsations cardiaques (par minute) entre 100 et 130.

Pour l'adulte, sa température normale se situe entre 37,5 et 38,5°C, sa fréquence respiratoire (par minute) entre 14 et 20, ses pulsations cardiaques (par minute) entre 60 et 120.

Le savez-vous ?

La plupart des répondantes (69 %) sont d'avis que leur vétérinaire joue un rôle assez important pour préserver leur relation avec leur animal de compagnie.

(Source : sondage Ipsos-Reid réalisé pour le compte de Pfizer Santé animale auprès de 700 femmes canadiennes âgées entre 25 et 54 ans. Mars 2001)

Enfin, sachez que la vaccination et l'administration de vermifuges sont les meilleures armes contre les maladies contagieuses et les affections parasitaires.

LES VACCINS

Les vaccins servent à stimuler le système immunitaire, poussant les anticorps à combattre la maladie. Ils sont composés de virus, bactéries ou autres organismes causant la maladie. Ces organismes ont été préalablement tués ou modifiés et ne peuvent donc causer la maladie.

Habituellement, les animaux vaccinés vont résister aux maladies contre lesquelles ils ont été inoculés. La plupart des vétérinaires recommandent une série de vaccins de base. Selon les situations, des vaccins dits facultatifs pourront être ajoutés.

Votre vétérinaire vous aidera à choisir ce qui convient, en fonction des autres animaux dans la maison ou à proximité, de la situation dans votre région, de l'état de santé de votre animal et de son âge, ou encore des voyages que vous comptez entreprendre.

QUELS VACCINS ? POURQUOI ?

Ci-dessous figurent les vaccins essentiels, certains facultatifs, mais cependant fortement conseillés. Sachez qu'il est important de respecter le calendrier des vaccinations et de ne pas attendre une année pour faire le rappel des vaccins, car leur couverture n'est que d'une durée de 11 mois seulement. Aussi, soyez vigilant sur ce point pour ne pas faire courir de risque mortel à votre chien.

LES VACCINS ESSENTIELS

☞ **AVANT 2 MOIS**   P : la Parvorirose

BpPi2 : la Toux du Chenil

☞ **ENTRE 2 ET 6 MOIS**   C : la maladie de Carré

H : l'Hépatite de Rubarth

P : la Parvovirose

L : la Leptovirose

R : la Rage

Bor : la Borréliose

Bab : la Piroplasmose

La plupart de ces vaccins se font en 2 rappels minimum, sauf la Rage qui se fait en une seule injection, à l'âge de 3 mois révolus.

Le rappel complet se fera 11 mois après la première vaccination.

☛ **LE CHIEN ADULTE** Rappels annuels :
L, R, BpPi2, Bor, Bab

Rappels annuels ou bisannuels :
C, H, P

VACCIN FACULTATIF

Un vaccin antirabique (rage) pour les chiens et les chats est parfois recommandé, parfois même obligatoire, selon les régions du Canada. La rage est une maladie sérieuse, presque toujours mortelle, qui peut toucher les humains comme l'ensemble des mammifères. Il faut être vigilant. Si votre chien manifeste de l'apathie, de la paralysie, une grande faiblesse ; ou si, au contraire il déploie une agressivité anormale, consultez rapidement le vétérinaire. Il pourrait s'agir de rage.

RESPECTER LE CALENDRIER DE VACCINATION

Comme vous l'avez constaté sur le tableau, la plupart des vaccins, comme chez les enfants, seront administrés au chiot en bas âge et devront accompagner le chien adulte à la fréquence conseillée.

L'association canadienne des médecins vétérinaires (ACMV) recommande un examen physique annuel, à titre préventif. Pourquoi ? Parce les chiens vieillissent plus vite que nous. Un examen annuel permet au vétérinaire de déceler et de traiter les maladies, comme les affections dentaires, le diabète, et les

troubles cardiaques et rénaux qui peuvent se manifester
« avec l'âge ».

Certaines races sont prédisposées à telle ou telle maladie.
Seule une discussion avec votre vétérinaire pourra aboutir à
un programme de vaccination adéquat. Et puis, vous pourrez en profiter pour faire le tour de toutes les questions concernant votre chien. Son alimentation, l'exercice qu'il fait ou
non, les parasites, son comportement, etc.

LES MALADIES LES PLUS COURANTES

Si les maladies graves, virales ou bactériennes, encourues par
les chiens sont prévenues d'une manière efficace par les vaccins, les maladies parasitaires font des ravages parmi la gent
canine, et là aussi, seule la prévention fera barrage à ce fléau.

LA PRÉVENTION

En dehors des vaccinations, votre vétérinaire vous informera
sur l'importance de la vermifugation. Un chiot devrait être ver-
mifugé tous les mois pendant le premier semestre de sa jeune
vie pour combattre les ascaris ou le ténia, redoutables parasites internes. Passé le cap des six mois, une vermifugation bi-
annuelle sera à administrer impérativement. Vérifiez bien aussi
que son pelage est exempt de puces, de tiques ou autres parasites pouvant inoculer des germes toxiques à plus ou moins
long terme. Votre vétérinaire vous indiquera les produits effi-
caces à administrer en prévention ou à utiliser sur le champ
au cas où les parasites seraient déjà présents sur la peau de
votre animal.

Quant aux maladies graves, souvent mortelles, voici un descriptif qui vous renseignera sur ces maladies et vous confortera dans la nécessité de vacciner votre chien selon le calendrier établi plus haut.

L'HÉPATITE DE RUBARTH

Il s'agit d'une maladie virale et contagieuse se transmettant par les urines. Elle est rapidement mortelle. Si votre chien est atteint de diarrhée, vomit et présente des troubles oculaires, pensez à cette maladie et courez chez votre vétérinaire. Le vaccin pour la prévenir est généralement administré en même temps que celui de la maladie de Carré.

LA MALADIE DE CARRÉ

Cette maladie virale est redoutable pour les chiots, même si des chiens plus âgés n'en sont pas à l'abri. Extrêmement contagieuse, elle se transmet par contact direct ou par contamination lorsqu'il y a toux dans l'environnement proche.

LA PARVOVIROSE

Transmise par les excréments et les objets souillés, cette maladie virale est, elle aussi, hautement contagieuse. L'état de prostration qu'elle provoque est accompagné de diarrhées hémorragiques et de vomissements entraînant la mort à court terme.

LA LEPTOSPIROSE

Une maladie plus courante à la campagne qu'en habitation urbaine. Due à l'urine d'animaux infectés tels les rats et les mulots, elle se transmet par voie orale, par ingestion ou inhalation de terre, d'eau, d'objets ou d'aliments contaminés. Elle est extrêmement contagieuse et souvent mortelle. Les humains n'en sont pas à l'abri. Son évolution se traduit par de l'insuffisance rénale sévère, de l'ictère aigu ou des gastro-entérites hémorragiques.

Conseil...

Prévoyez d'avoir sous la main une trousse de premiers soins en cas de petits « bobos » ou de blessures plus importantes. Cette trousse devrait contenir le nécessaire de base, à savoir :
- *Des compresses et pansements stériles*
- *Des bandes de compression*
- *Des bandes de largeur et de longueur différentes*
- *Du coton chirurgical*
- *De l'alcool à désinfecter*
- *Un produit antiseptique*
- *Des ciseaux et pinces*
- *Un thermomètre*
- *Des gants de protection à jeter*

LA PIROPLASMOSE
Maladie parasitaire mortelle transmise par les tiques. On la décèle par la fièvre, l'apathie, la coloration brune des urines et le manque d'appétit du chien. Il n'existe pas encore de vaccin suffisamment efficace pour contrecarrer cette maladie qui s'attaque aux globules rouges. La vigilance du maître s'impose pour dépister ce dangereux parasite de la peau après chaque promenade.

LA TOUX DU CHENIL

Comme son nom l'indique, cette maladie est contractée le plus souvent dans les lieux où les chiens vivent à plusieurs. Très contagieuse, elle se traduit par des problèmes respiratoires, évolue vers une toux sèche, quinteuse et peut même déboucher sur une pneumonie. On la traite efficacement avec des antibiotiques. La vaccination est fortement conseillée dans les milieux propices à sa propagation.

Chapitre 6

Problèmes
de comportement
et solutions

En général, les troubles du comportement sont le résultat d'une faille dans l'éducation ou bien sont liés à des traumatismes affectifs divers, sevrage trop rapide, séparation, abandon, maltraitance. Certains spécialistes attribuent ces problèmes à une conjugaison de facteurs génétiques et environnementaux. Quoi qu'il en soit, un chien qui se comporte d'une façon dérangeante pour le maître ou qui présente des troubles pathologiques tels que ceux que nous allons aborder doit pouvoir bénéficier d'une thérapie comportementale associée à une médication.

LE MALPROPRE

La malpropreté est souvent le fait d'un chien anxieux, soit parce qu'il a été élevé par un maître trop laxiste dans sa méthode éducative, soit par un maître au contraire trop autoritaire. Ces deux méthodes extrêmes engendrent chez l'animal un sentiment de crainte qui se traduit par une conduite malpropre,

–pour l'un en signe d'insécurité, pour l'autre en signe de soumission –, attitude que les maîtres ne comprennent souvent pas. Les réprimandes ou pire, les cris de colère, ne font qu'aggraver le problème. Les conseils d'un spécialiste peuvent aider à le résoudre efficacement en demandant à ces maîtres d'être plus ferme pour l'un, et moins autoritaire pour l'autre.

Le savez-vous?

Les blessures associées aux morsures et aux attaques de chien ont été pour la plupart relevées auprès de jeunes de 5 à 9 ans (28,5 %). Parmi toutes les victimes, 57,9 % étaient de sexe masculin.

(Source: Système canadien hospitalier d'information et de recherche en prévention des traumatismes, SCHIRPT, de Santé Canada, 1 237 dossiers, 1999)

LE CHIEN MORDEUR

Ici aussi, le problème de l'éducation est posé : si, au moment de l'éduquer, le maître n'a pas su se faire respecter, montrer qu'il était le « chef », le chien endossera ce rôle de dominant et n'hésitera pas à mordre. Dans un tel cas, votre réaction doit être immédiate : montrez-vous distant, ne le caressez plus, ignorez-le. Donnez-lui des ordres sur un ton sec et ferme et exigez son obéissance immédiate. Dès que vous aurez repris la

TRUCS ET ASTUCES

SAVEZ-VOUS PRÉVENIR LES MORSURES DE CHIEN?

• Si un chien errant s'approche de vous, restez immobile et laissez le chien vous renifler. Ne le fixez pas du regard et ne rebroussez pas chemin en courant. Si le chien aboie ou gronde, éloignez-vous lentement de lui, en marchant à reculons ou de côté et en le gardant à l'oeil.

• « N'éveillons pas le chien qui dort. » Même un chien doux qui se fait réveiller subitement peut se sentir menacé et vous mordre, peut-être par erreur.

• La stérilisation réduit considérablement les tendances agressives d'un chien. À preuve, une enquête américaine sur plus de 200 attaques de chien mortelles révéla que 198 cas mettaient en cause un chien non stérilisé.

• N'encouragez jamais votre chien à mordre, même s'il est espiègle. Cela pourrait entraîner des problèmes plus tard.

• C'est parmi les enfants de moins de 9 ans qu'on compte le plus grand nombre de victimes, parce qu'ils manquent de jugement ou interprètent mal les avertissements du chien, et parce qu'ils ont plus tendance à se comporter d'une manière que le chien juge menaçante.

(Source : Conseil canadien de la sécurité, Prévention au Canada, juillet 2001)

situation en main, le chien se soumettra en ayant reconnu en vous le maître absolu.

Lorsque le chien agresse les étrangers, dans la plupart des cas, cette agressivité est liée à la peur de l'inconnu, à une socialisation presque inexistante dans les premiers mois de sa vie qui rend inquiétants les contacts avec ce et ceux qu'il ne connaît pas.

Un travail de resocialisation est alors à entreprendre avec l'aide d'un spécialiste.

LE CHIEN MORD D'AUTRES CHIENS

Il s'agit là de chiens au caractère dominateur qui veulent régner en maître en éliminant les concurrents potentiels. Il peut aussi s'agir de chiens ayant eux-mêmes été traumatisés par un chien agresseur et qui ont adopté une attitude offensive pour parer à toute attaque.

D'une façon générale, le comportement agressif de tels chiens peut être nettement réduit par la castration.

LE CHIEN NE COMPREND PAS LA HIÉRARCHIE

L'agressivité chez les chiens peut être dangereuse si elle n'est pas traitée.

Grondements, morsures, tout est possible, et pour toutes les races, lorsque le chien a peur. À moins que son tempérament dominant ne supporte aucune contrainte. Et il n'est pas simple d'en venir à bout. Que faire ?

D'abord, revenons à la question essentielle. S'agit-il de peur ou d'un comportement de dominant ? Comment savoir ?

TRUCS ET ASTUCES

POUR CORRIGER LE PROBLÈME D'AGRESSIVITÉ, ON DOIT :

- commencer par éviter les situations qui déclenchent l'agression ;

- éviter les punitions (la douleur provoque l'agressivité) ; le fait, par exemple, de forcer un chien à s'accroupir ne fait qu'empirer la situation ;

- appliquer des techniques de désensibilisation (c'est-à-dire mettre graduellement le chien dans diverses situations) ;

- habituer le chien aux signaux de dominance de la part de son propriétaire (comme lui retirer son bol de nourriture ou le dévisager) ;

- obliger le chien à obéir à des commandements avant de le récompenser (en jouant avec lui ou en le caressant, par exemple) ;

- utiliser diverses techniques de contre-conditionnement.

(Source : www.santeanimale.ca, 2005.01.28)

« L'agression liée à la dominance – ou hiérarchique – est courante. Le chien qui manifeste ce type de dominance tend à fixer du regard un autre animal en gardant les oreilles droites et portées vers l'avant. Il se tient la tête haute et adopte une posture rigide avec sa queue haute ou à l'horizontale. Ce langage corporel tranche avec celui d'un chien soumis, qui tend à éviter le contact visuel, à baisser la tête et la queue, à coucher les oreilles et à adopter une posture accroupie. » nous dit l'Association professionnelle des vétérinaires du Canada.

Les enfants sont les premiers à décoder les signes de dominance chez le chien. Par exemple, si l'enfant dévisage son chien, en cherchant à créer le contact, il est possible que le chien interprète cela comme une agression de la part de l'enfant. Il ne lui en faudra pas plus pour le mordre, ou se montrer agressif.

Nous l'avons dit, cela se produit plus souvent chez les mâles non castrés, et chez les chiens de race, non croisés. Il existe des solutions de redressement, aussi les maîtres devront demander l'aide d'un vétérinaire, voire d'un dresseur, si la situation n'est pas prise en main rapidement.

Quoi qu'il en soit, gardez en tête que castration, médicaments et euthanasie sont les solutions de dernière ligne. Réagissez avant !

Le dépendant affectif

C'est le chien à qui on n'a pas appris à rester seul, qui est bichonné, choyé et surprotégé, si bien qu'il vit en permanence dans l'ombre de son maître. On le reconnaît à son corps qui tremble, à son regard inquiet lorsque, attaché près de la porte d'un magasin, il attend anxieusement le retour de son maître. Peur de l'abandon, traumatisme dû à une séparation précoce avec sa mère ? Toujours est-il que l'hyperprotection dont il est l'objet ne l'aidera pas à surmonter son anxiété.

L'ABOYEUR

L'aboiement est certes la façon de communiquer des chiens, mais quand il devient bruyant, intempestif et se répète à longueur de jour et de nuit, indépendamment de la gêne qu'il occasionne pour le voisinage et soi-même, on peut se demander s'il ne s'agit pas d'un trouble du comportement. Hé bien oui ! Un chien qui aboie en permanence est un chien qui va mal et la peur et l'anxiété sont bien souvent la cause de ce comportement difficile à supporter. Les raisons sont diverses, il se peut qu'il ait peur de rester seul, ou qu'il demande de l'attention ou encore qu'il craigne les inconnus et cherche à les intimider en aboyant pour interdire l'approche de son territoire. Des solutions existent, aussi n'hésitez pas à consulter un spécialiste qui identifiera ce qui provoque ces aboiements continuels et prescrira une médication adaptée au cas de votre chien.

LE FUGUEUR

Les chiennes en chaleur du voisinage sont souvent l'unique raison de la fugue de votre chien. Mais le chien a pu garder trace de cette expérience de la liberté et y avoir pris goût en récidivant sans qu'il soit besoin d'aller conter fleurette à une belle en chaleur ! Non, juste le plaisir de vagabonder et d'aller explorer des endroits inconnus avec ses congénères d'un jour ou d'un soir.

Pour éviter qu'il ne recommence, emmenez-le souvent faire de longues promenades, faites-lui faire de l'exercice physique et s'il persévère, demandez un soutien médical ou comportemental.

L'HYPERACTIF

Jamais fatigué, celui-là l'est vraiment pour son entourage ! Sans cesse en train de s'agiter, de sauter, de tourner, de courir d'une pièce à l'autre, il semble que rien ne puisse l'arrêter. Cette hyperactivité pourrait être d'origine congénitale ou résulter d'un traumatisme affectif. Elle peut également traduire un besoin de se dépenser physiquement si la capacité à s'exprimer de votre hyperactif de chien ne peut le faire insuffisamment à l'extérieur de la maison. Essayez de le sortir plus souvent et de le « fatiguer » par des exercices physiques. Si l'hyperactivité persiste, demandez l'aide d'un spécialiste, une médication lui sera probablement prescrite pour le calmer.

L'ANXIEUX

Voici un chien bien malheureux ! Il manque d'appétit ou au contraire dévore, se montre indifférent ou agressif, se ronge les griffes, s'acharne à mordre sa queue quelquefois jusqu'au sang, se lèche indéfiniment. Il peut aussi faire ses besoins n'importe où, surtout s'il est déboussolé par un déménagement ou l'arrivée d'une personne inconnue dans la maison. Un maître trop autoritaire peut aussi le terroriser, bref, pour ce chien tout peut être source d'angoisses. Le spécialiste que vous verrez essaiera de connaître les conditions – souvent mauvaises – dans lesquelles il a vécu avant que vous ne l'adoptiez, conditions qui pourraient être à l'origine de cette anxiété pathologique. Des solutions sont proposées pour traiter ce type de problèmes, sous forme d'une thérapie comportementale associée à une médication.

LE DÉPRESSIF

Celui-ci est encore moins heureux ! Prostré, apathique, indifférent, les yeux mi-clos, le chien dépressif se réfugie dans un sommeil quasi permanent. Soyez vigilant, car une dépression peut cacher un problème de santé aussi, consultez votre vétérinaire pour vérifier ce point, ce qui n'exclut pas que vous deviez lui confier votre souci au sujet de ce comportement dépressif si l'examen ne révèle rien d'anormal sur le plan de sa santé physique.

SOLITUDE ET LIEU CLOS

Savez-vous qu'un type de dépression parfaitement identifié et qualifié par les spécialistes de « dépression en lieu clos » est courant lorsque le chien manque de stimulations sensorielles ? C'est le cas par exemple, de bien des toutous qui restent trop longtemps cloîtrés dans des habitations et qu'on ne sort que pour les rapides pipis quotidiens sans leur laisser la possibilité d'exercer leurs sens. Un thérapeute vous aidera à régler le problème en vous expliquant pourquoi il est nécessaire de le sortir plus souvent et plus longtemps, car cette dépression non traitée peut conduire le chien à devenir agressif ou hyperactif.

Réaction à un stress

Un choc émotionnel important – changement de maître, de lieu de vie, accident de voiture, mais sans conséquence physique – peut induire chez votre chien une dépression qui se manifestera par de la prostration, de l'indifférence, parfois des gémissements évoquant des soupirs, une perte d'appétit. Si cette dépression perdure au-delà de quinze jours, elle doit vous amener à consulter un spécialiste. Une thérapie comportementale associée à des anxiolytiques viendra à bout de ce problème.

Cyclique dépressif hyperactif

Chez l'homme, on parlerait de « comportement bipolaire » ou « maniaco-dépressif ». Semblablement, le chien – souvent des femelles âgées de plus de sept ans – peut être victime de ce type de dépression. Celle-ci se manifestera par une période dépressive, avec tous les signes qui l'accompagnent : prostration, apathie, manque d'appétit, indifférence. Suivra une période d'hyperactivité impressionnante, difficile à supporter pour l'entourage : attitudes bruyantes, halètements continuels, temps de sommeil réduit, sauts, courses dans la maison, dégradation d'objets. Ces périodes durent chacune entre quinze jours à deux mois. Ce type de dépression est, hélas, difficile à résoudre sans l'aide de médicaments anxiolytiques. Il faut savoir que ceux-ci devront être administrés continuellement sous peine de rechute en cas d'arrêt du traitement.

L'involution

Si votre chien sombre peu à peu dans l'indifférence, gémit, n'aboie plus, ne communique plus par ses mimiques habituelles, fait ses besoins sous lui, ingère sans discernement ce qui se trouve sur son passage, le problème est grave, car il est sans doute en proie à ce que l'on nomme une « dépression d'involution ». Les causes sont diverses et reliées le plus souvent à un rejet précoce de la mère ou à un abandon, à un isolement trop long. Le traitement prendra du temps et devra comprendre une rééducation associée à des médicaments antidépresseurs et anxiolytiques.

LE PEUREUX

Prêt à se cacher au moindre bruit, vous le reconnaîtrez à son comportement toujours craintif, à ses tremblements, à son regard inquiet, à ses gémissements plaintifs, aux battements accélérés de son cœur. Si la réaction de peur d'un chiot qui a tout à apprendre de ce que l'extérieur peut lui fournir en bruits, rencontres diverses, événements inattendus, est normale, celle d'un chien adulte qui conserve un comportement craintif est pathologique et résulte probablement d'un manque de socialisation pendant son éducation ou d'une surprotection de la part de son maître. Parlez-en à un spécialiste qui saura le resocialiser et l'aidera avec une médication qui l'apaisera.

LE BRUIT

La phobie du bruit est plus courante chez les chiens qui ont vécu dans un environnement calme, à la campagne par exemple, que chez les chiens des villes, bien que cette phobie puisse aussi provenir d'un manque de socialisation, comme nous l'avons vu plus haut.

LA FOULE

Si le chien vit en milieu clos, il y a de fortes chances pour que l'extérieur lui paraisse hostile et déclenche son refus de sortir. Un spécialiste vous dira comment l'habituer à la foule, sinon il risque la « dépression en milieu clos » à plus ou moins court terme.

LES AUTRES CHIENS

Les congénères ne sont pas toujours acceptés et la peur qu'ils suscitent peut induire chez votre chien des comportements agressifs ou au contraire le paralyser littéralement d'effroi. Là aussi, une thérapie bien conduite peut l'habituer à approcher d'autres chiens.

Chapitre 7

Se défaire de son chien

Plusieurs raisons peuvent conduire à se défaire de son chien. À moins d'avoir eu un chien qui n'a pas pu être socialisé correctement et qui présente des risques d'agressivité – ce qui peut inciter à s'en défaire sans trop de peine –, la plupart des possesseurs de chien éprouvent un véritable chagrin quand ils sont obligés de se séparer de cet incomparable ami.

QUAND LE CHIEN VIEILLIT

Lorsque l'on a passé dix ou quinze de sa vie près de son animal favori, le voir vieillir est souvent un déchirement. L'arthrose, la cécité, l'incontinence et autres problèmes liés à l'âge obligent à adopter un comportement adapté à son état de santé. Votre vétérinaire sera toujours de bon conseil à ce sujet.

QUAND LE CHIEN EST MALADE

Souvent, la question cruciale de l'euthanasie se pose lorsque votre chien est atteint d'une maladie incurable qui le fait souffrir physiquement et vous fait souffrir, vous, moralement. L'attachement est si grand que la décision est la plupart du temps retardée jusqu'à ce que, encouragé par votre vétérinaire sur l'inanité de poursuivre un traitement douloureux et coûteux, vous acceptiez le geste qui mettra fin aux jours de votre compagnon. C'est une terrible épreuve, que certains passent en jurant de ne plus reprendre d'animal pour lui rester fidèles, et que d'autres surmontent en adoptant immédiatement un nouveau chien. Finalement, tout est affaire de ressenti personnel.

PROBLÈMES COMPORTEMENTAUX ET RESPONSABILITÉ DU MAÎTRE

Nous conclurons ce Guide des Chiens en mettant l'accent sur les comportements et la responsabilité du maître, car le comportement de l'animal est le plus souvent à l'image de l'éducation – ou du manque d'éducation – de celui-ci.

Le chien est-il respectueux de l'environnement ? Fait-il ses besoins dans le caniveau ? N'aboie-t-il pas inconsidérément ? Est-il agressif envers les inconnus ou les autres chiens ? Se promène-t-il sur la propriété des autres ? La réponse à ces questions et à beaucoup d'autres brossera le portait du maître, de son civisme ou de son incivisme, du prix ou du mépris qu'il accorde aux règles sociales, du respect ou de l'irrespect envers ses concitoyens.

Le chien, tout comme l'enfant, n'est pas à blâmer quand il se comporte en nuisant à autrui, il est tout simplement le fruit d'une éducation mal conduite dont la responsabilité est à chercher auprès du maître, de la même façon que pour l'enfant, elle incombe aux parents.

Souvenez-vous-en, vous qui venez d'adopter un merveilleux compagnon : selon que vous l'aurez bien ou mal éduqué, les marques d'affection, de sympathie, ou bien de mise à l'écart voire de répulsion qu'on lui manifestera, seront le reflet de ce que vous-même inspirez à ceux qui vous apprécient pour votre savoir-vivre ou que vous choquez par vos comportements indélicats.

Le savez-vous ?

- 51 % des Canadiens disent être dérangés par les excréments d'animaux de compagnie qui n'ont pas été ramassés dans des endroits publics par les propriétaires. Soulignons que 50 % des propriétaires de chats et 51 % des propriétaires de chiens partagent cette position.
- 31 % de nos concitoyens sont dérangés par le bruit de chiens qui aboient, de chats qui miaulent quand ces animaux ne leur appartiennent pas. Ce dérangement est également remarqué par 32 % des propriétaires de chats et 28 % des propriétaires de chiens.
- 28 % des Canadiens se plaignent des animaux qui se promènent sur leur propriété. C'est dans une même proportion que les propriétaires d'animaux de compagnie se plaignent des incursions sur leur propriété.

(Source : sondage Léger Marketing réalisé au Canada entre le 22 et 26 mai 2002, auprès de 1503 Canadiennes et Canadiens âgés de 18 ans et plus et pouvant s'exprimer en français et en anglais)

DÉMÉNAGER

Préoccupez-vous suffisamment tôt de toutes les formalités à accomplir si vous devez déménager ou voyager en compagnie de votre chien pour vous installer définitivement ou momentanément dans un autre pays. Vous éviterez de mauvaises surprises, dont la mise en quarantaine parfois, si les vaccinations requises et le carnet de santé de votre chien ne sont pas à jour.

Si vous devez quitter le Canada et traverser les douanes, assurez-vous que votre animal soit bien vacciné contre la rage. (Source : Documentation –Des vacances agréables avec nos animaux, juillet 2004, petitmonde.com)

Chapitre 8

Adresses
et liens utiles

RÉFÉRENCES

DES LIVRES CONSULTÉS

Arthur-Bertrand, Yann, *Chiens*, Paris, Éditions du Chêne, 2000.

Dehasse, Joël, *L'éducation du chien*, Montréal, Le Jour, 2004.

Larkin, Peter et Mike Stockman, *Le grand livre des chiens*, Genève, Manise, 2001.

Le guide des chiens, Paris, Service international de presse, sans date.

DES ADRESSES IMPORTANTES

OFFICIELS

Association canadienne des Médecins vétérinaires
339, rue Booth
Ottawa, Ontario
K1R 7K1
Téléphone : (613) 236-1162
http://www.veterinairesaucanada.net
　　• L'ACMV est l'organisme national qui représente et
　　sert les intérêts de la profession vétérinaire au Canada

**Association nationale d'intervention pour le mieux-être
des animaux (ANIMA Québec)**
1965, rue St-Michel
Sillery (Québec)
G1S 1J7
Téléphone : (418) 688-1771
Sans frais : 1 866-321-1771
http://www.animaquebec.com
　　• Organisation provinciale sans but lucratif dont la
　　mission est d'assurer la sécurité et le bien-être des
　　animaux de compagnie par l'inspection des lieux
　　de garde et d'élevage de chiens et de chats et par
　　l'éducation et l'information auprès de leurs pro-
　　priétaires et de leurs gardiens.

**Association professionnelle des éleveurs et des éducateurs
canins du Québec (APEECQ)**
412, chemin Lac de la Montagne Noire

St-Donat, Québec,
J0T 2C0
Téléphone : (514) 990-8771
http://www.apeecq.org/
> • Association professionnelle visant à structurer et offrir des services professionnels pour l'amélioration du lien humain-animal

CLUB CANIN CANADIEN
89, avenue Skyway, bureau 100
Etobicoke, Ontario
M9W 6R4
Téléphone : (416) 675-5511
http://www.ckc.ca
> • Le Club Canin Canadien est l'autorité primordiale sur les chiens de race pure au Canada

CONSEIL CONSULTATIF MIXTE DE L'INDUSTRIE DES ANIMAUX DE COMPAGNIE DU CANADA
(PIJAC Canada)
Ottawa, Ontario
K1C 1G1
Téléphone : (613) 834.2111
Sans frais : 1.800.667.7452
www.pijaccanada.com
> • Organisme national qui s'est donné pour but de veiller au bien-être des animaux de compagnie ainsi que d'assurer une représentation juste de toutes les facettes de l'industrie canadienne des animaux de compagnie.

LA FÉDÉRATION CANADIENNE DES SOCIÉTÉS D'ASSISTANCE AUX ANIMAUX

102-30 Concourse Gate,
Ottawa, Ontario,
K2E 7V7
Téléphone : (613) 224-8072
Sans frais : 1 (888) 678-CFHS
www.cfhs.ca
> • Depuis 1957, la fédération sans but lucratif cherche à améliorer les conditions de vie de tous les animaux au Canada.

INSTITUT CANADIEN DE LA SANTÉ ANIMALE

160 Research Lane, bureau 102
Guelph, Ontario, Canada,
N1G 5B2
Téléphone : 519-763-7777
http://www.cahi-icsa.ca/fr/index.php
> • L'ICSA est le porte-parole de la santé animale au Canada.

RICHES

LE PORTAIL DE LA FAMILLE ET DE L'ENFANCE
http://www.petitmonde.com/iDoc/Article.asp ?id=7333

ÉTONNANTS

LE SITE DU MEILLEUR AMI DE L'HOMME, POUR QUE L'HOMME DEVIENNE LE MEILLEUR AMI DU CHIEN.
http : www.chien.com

Soins d'urgence et soins
et soins tout court

LA PROFESSION VÉTÉRINAIRE AU CANADA
(Le site officiel de)
Pour trouver la liste de tous les hôpitaux et cliniques par régions et villes :
http://www.santeanimale.ca

Des lieux et des accessoires
particuliers

Des activités et des lieux

4PATCROSS
http://www.4patcross.com/
Pour tout savoir des compétitions de courses de cross country qui se déroulent en duo homme-chien.

Du matériel pour les chiens
qui bougent

CARCAJOU
Boutique ouverte le dimanche. Conseils professionnels
Dr Hélène Hamilton
215 Avenue du Pont Sud,
Alma
G8B 2T7
Téléphone : (418) 669-2222

FROST
Traîneaux à chiens et accessoires
22 Chemin Saffin,
Danville
J0A 1A0
Téléphone : (819) 839-2830

FILCO
Fabrication de tous enclos
1602 Boul St-Elzéar Ouest,
Chomedey Laval, Québec,
H7L 3N2
Téléphone : (450) 687-0501

CLOTURES LIBERTE
Springer pour vélos, clôtures électriques, colliers d'entraîne-
ment à distance, colliers anti-aboiements
Tally Ho,
St-Lazare, Québec,
J7T 2B1
Téléphone : (450) 458-2449

NORDIC
Tout pour le traîneau à chiens et le Skijoring
650 Hervé,
St-Amable, Québec,
J0L 1N0

CAN-AM TRAINING SUPPLIES
Fabricant de matériel canin pour chien de défense, de travail,
Shutzhund, ring, mondioring et chien de police. Pierre Lafond
N° Prof. : 2261068409

3111 Chemin Oka,
Ste-Marthe-sur-le-Lac, Québec,
J0N 1P0
Téléphone : (450) 473-9333

BOUCLE PERLE BLANCHE & BOWS
Création et confection de boucles et lits pour diverses races de
chiens. Micheline R. Lapointe
1852 Grande Ligne,
Stoneham, Québec,
G0A 4P0
Téléphone : (418) 841-3226

Adresses et ressources utiles au Québec et au Canada

**La société pour la prévention de la cruauté des animaux
SPCA**
Site Web: http://www.spca.com

SPCA.com est un fil conducteur pour les nouvelles, l'information et le support de toutes les SPCAs. Ils font la promotion sur le Web de la nature même des missions des SPCA
locales. Ils sont une voix nationale qui diffuse les reportages
d'actualités aptes à nous aider dans notre cause commune.

Basée sur des principes humanitaires, la mission de la
S.P.C.A. canadienne est de :

- Protéger les animaux contre la négligence, les abus et l'exploitation ;
- Représenter leurs intérêts et assurer leur bien-être ;
- Encourager une prise de conscience collective et développer de la compassion pour tout être vivant.
- Leur rôle fondamental est de prévenir la cruauté envers les animaux par une multitude d'actions et de gestes concrets qui profitent autant aux animaux qu'aux humains. Ces gestes se traduisent par des actions telles que :
- Recevoir près de 24 000 animaux abandonnés par année ;
- Sensibiliser le public aux bienfaits de la stérilisation ;
- Conseiller les gens dans leur projet d'adoption d'un animal ;
- Éviter les adoptions impulsives

SPCA (Montréal)
Téléphone : (514) 735-2711
Télécopieur : (514) 735-7448
Site web : http://www.spcamontreal.com

SPCA (Aylmer)
Téléphone : (819) 684-4758

SPCA - COMTE DUPLESSIS (Sept-Îles)
Téléphone : (416) 964-3272

SPCA DU HAUT-RICHELIEU (Saint-Luc)
Téléphone : (514) 348-7029

SPCA LAURENTIDES-LABELLE (Sainte-Agathe-des-Monts)
Téléphone : (819) 326-4059

SPCA DE L'OUTAOUAIS (Gatineau)
Téléphone : (819) 243-2004

SPCA DU SAGUENAY (Chicoutimi)
Téléphone : (418) 549-2158

SCPA (Val d'Or)
Téléphone : (819) 825-7694

Association canadienne des médecins vétérinaires (ACMV)
339, rue Booth
Ottawa (Ontario)
K1R 7K1
Canada
Téléphone : (613) 236-1162
Télécopieur : (613) 236-9681
Courrier électronique : info@canadianveterinarians.net
Site Web: http://www.veterinairesaucanada.net/

L'ACMV est un organisme national qui défend les intérêts de plus de 8 000 vétérinaires canadiens.

L'Association encourage les vétérinaires à appliquer des normes médicales et professionnelles strictes, et elle les appuie dans l'exercice de leur profession.

En tant qu'association professionnelle, l'ACMV se consacre à la représentation des intérêts des médecins vétérinaires à l'échelle nationale, à la promotion de la médecine vétérinaire auprès du public et à la promotion du traitement adéquat des animaux.

L'ACMV offre des possibilités de perfectionnement, publie des revues scientifiques, établit des normes visant les aliments pour animaux de compagnie et administre les examens du Bureau national des examinateurs.

PIJAC Canada
2442 St. Joseph Blvd., Suite 102
Ottawa (Ontario)
K1C 1G1
Sans frais: 1 (800) 667-6452
Téléphone: (613) 834-2111
Télécopieur: (613) 834-4854
Courrier électronique : executiveoffice@pijaccanada.com
Site Web: http://www.pijaccanada.com

PIJAC Canada est un organisme national qui s'est donné pour but de veiller au bien-être des animaux de compagnie-et ceci au plus haut niveau possible, ainsi que d'assurer une représentation juste de toutes les facettes de l'industrie canadienne des animaux de compagnie.

Ils s'efforcent :

• De représenter et de promouvoir les intérêts de tous les secteurs de l'industrie des animaux de compagnie.
• De contrôler la législation et les règlements concernant les animaux de compagnie à tous les niveaux de gouvernement, et d'appuyer ou de s'opposer à la promulgation de telles législations ou règlements, dans les

meilleurs intérêts de l'industrie des animaux de compagnie.

- De promouvoir la recherche dans les domaines de la reproduction, des soins, de l'alimentation et du traitement des animaux de compagnie.
- De rassembler, d'analyser, de publier et de distribuer des informations dignes d'intérêt à l'industrie des animaux de compagnie et au public.
- De promouvoir un traitement humanitaire des animaux de compagnie par tous.
- D'établir des normes adéquates et généralement acceptables pour les soins aux animaux de compagnie et de promouvoir la reconnaissance et le respect de telles normes.
- De promouvoir au niveau du public, l'importance de l'industrie des animaux de compagnie et de mettre en évidence l'importance de ses services.
- D'assurer au nom de l'industrie des animaux de compagnie, la tenue de conférences, de symposiums, d'expositions, de réunions et de cours, dans le but d'atteindre les objectifs mentionnés ci-dessus.
- De recueillir et maintenir un ou des fonds et de consacrer une partie ou la totalité de ces revenus à la réalisation des objectifs mentionnés ci-dessus.
- D'éduquer les consommateurs à adopter un comportement responsable en tant que propriétaires d'animaux de compagnie.
- D'éduquer les détaillants, les distributeurs et les éleveurs d'animaux de compagnie afin qu'ils traitent ceux-ci de manière responsable.
- D'encourager la mise sur pied de programmes afin de développer une meilleure compréhension de nos amis

les animaux, de leurs environnements, et plus précisément, de leurs aptitudes à coexister en bonne harmonie avec leurs propriétaires.

Faculté de médecine vétérinaire - Université de Montréal

ADRESSE GÉOGRAPHIQUE
3200, rue Sicotte
Saint-Hyacinthe (Québec)
J2S 2M2

ADRESSE POSTALE
Case postale 5000
Saint-Hyacinthe (Québec)
J2S 7C6
Téléphone: (450) 773-8521
Ou pour l'Île de Montréal : (514) 345-8521
Télécopieur : (450) 778-8114
Site Web : http://www.medvet.umontreal.ca/

CLINIQUE AMBULATOIRE
Téléphone: (450) 778-8123 ou 778-8121
Ou pour l'Île de Montréal : (514) 345-8521, poste 8123 ou 8121
Télécopieur : (450) 778-8120

PHARMACIE
Téléphone: (450) 773-8521 poste 8321
Ou pour l'Île de Montréal : (514) 345-8521, poste 8321
Télécopieur : (450) 778-8118

CLINIQUE DES ANIMAUX DE COMPAGNIE
Téléphone: (450) 778-8111
Ou pour l'Île de Montréal : (514) 345-8521, poste 8111
Télécopieur : (450) 778-8110

La Faculté de médecine vétérinaire met ses experts, ses laboratoires et ses ressources au service du milieu. Située au cœur de la plus importante zone agroalimentaire du Québec, elle est la seule unité d'enseignement et de recherche en médecine vétérinaire au Québec et la seule faculté de médecine vétérinaire francophone en Amérique. De plus, elle offre toute une gamme de services à l'externe. Les collaborations externes sont nombreuses au Québec et dans le reste du monde. Elle y accueille près de 400 étudiants de tous les pays au programme de doctorat en médecine vétérinaire où ils reçoivent une formation de qualité qui leur ouvre les portes du monde.

Académie de médecine vétérinaire du Québec inc.
3625, boul. Dagenais ouest, bureau 100
Laval (Québec)
H7P 5C9
Canada
Courrier électronique : secretariat@amvq.qc.ca
Site Web: http://www.amvq.qc.ca/

L'Académie de médecine vétérinaire du Québec est une association à but non lucratif qui regroupe, sur une base volontaire, les plus de 600 praticiens vétérinaires oeuvrant dans le domaine des animaux de compagnie.

Un de leurs principaux objectifs est la formation continue de ses membres par la tenue d'un congrès annuel et de plusieurs journées de conférences scientifiques sur tous les sujets touchant la pratique dans le domaine des animaux de compagnie.

L'Académie de médecine vétérinaire du Québec entend aussi informer la population du Québec de l'importance d'accorder soins et attentions aux animaux québécois.

ANIMA Québec
Association Nationale d'Intervention pour le Mieux-Être des
Animaux
http://www.animaquebec.com/

ANIMA Québec est une organisation provinciale sans but
lucratif dont la mission est d'assurer la sécurité et le bien-être
des animaux de compagnie par l'inspection des lieux de garde
et d'élevage de chiens et de chats et par l'éducation et l'information auprès de leurs propriétaires et de leurs gardiens.

ANIMA Québec réunit :
• Des vétérinaires (l'Ordre des médecins vétérinaires du
  Québec et l'Académie de médecine vétérinaire du
  Québec)
• Des organismes de protection des animaux (SPA de
  l'Estrie, de Québec et de la Mauricie)
• Des représentants de l'industrie (Conseil consultatif
  mixte des animaux de compagnie du Canada/Pet
  Industry Joint Advisory Council), du Ministère de
  l'Agriculture, des Pêcheries et de l'Alimentation du
  Québec
• Des membres de la communauté universitaire et du
  milieu des affaires.

IMPORTATION DE CHIENS DE COMPAGNIE (2005)
Agence canadienne d'inspection des aliments
Produits animaux
   –Division de la santé des animaux et élevage.
http://www.inspection.gc.ca/francais/anima/heasan/import/
dogsf.shtml

Voici une description des conditions actuelles qui s'appliquent à l'importation de chiens de compagnie au Canada. Les conditions varient selon l'origine des chiens et les exigences d'importation :

- Chiens de compagnie âgés de huit (8) mois ou moins provenant de tout pays
- Chiens de compagnie âgés de trois (3) mois ou plus provenant d'un pays non exempt de la rage (ou non officiellement reconnu par le Canada comme un pays exempt de la rage)
- Chiens de compagnie âgés de trois (3) mois ou plus provenant d'un pays exempt de la rage (officiellement reconnu comme tel par le Canada)
- Chiens utilisés à des fins spéciales
- Frais d'inspection
- Système automatisé de référence à l'importation (SARI)
- Éleveurs commerciaux

EXPORTATION DE CHIENS ET DE CHATS - GÉNÉRALITÉS (2005)

Agence canadienne d'inspection des aliments
Produits animaux
– Division de la santé des animaux et élevage.
http://www.inspection.gc.ca/francais/anima/heasan/export/petcom/petcomf.shtml

Voici de l'information sur les conditions actuelles qui s'appliquent à l'exportation de chiens et de chats de compagnie à l'étranger. Les conditions varient selon les exigences d'exportation du pays concerné.

SITES INTERNET CONSULTÉS

Chiensderace.com
http://www.chiensderace.com/

Chienderace.com est un site Web français destiné aux professionnels et particuliers amoureux de la race canine. Conçu et réalisé par des personnes privées, volontaires et passionnées de la race canine, vous y trouverez :

Une liste complète des clubs, éleveurs et sites SPA.

Des conseils, des fiches techniques et standards pour chaque race.

Le calendrier des événements canins, informations, documentations, etc.

Organisation Mondiale de la Santé Animale (OIE)
http://www.oie.int/fr/fr_index.htm

Les objectifs de l'Organisation Mondiale de la Santé Animale sont de :

- Garantir la transparence de la situation des maladies animales et des zoonoses dans le monde.
- Collecter, analyser et diffuser l'information scientifique vétérinaire.
- Apporter son expertise et stimuler la solidarité internationale pour contrôler les maladies animales.
- Garantir la sécurité du commerce mondial en élaborant des normes sanitaires pour les échanges internationaux des animaux et de leurs produits dans le cadre du mandat confié à l'OIE par l'Accord SPS de l'OMC.

• Promouvoir le cadre juridique et les ressources des Services Vétérinaires.
• Mieux garantir la sécurité sanitaire des aliments et promouvoir le bien-être animal en utilisant une approche scientifique.

Le site officiel de la profession vétérinaire
http://www.santeanimale.ca/

Site français / anglais qui offre :

• Plusieurs articles intéressants sur le comportement, la nutrition, la vaccination, les maladies et la santé des chats, des chiens et d'autres animaux.
• Une section *'questions courantes'*, une liste de *'hyperliens'* et un coin pour les enfants, incluant des jeux de ping-pong, dessins et casse-tête.
• Un répertoire complet de cliniques vétérinaires à travers le Québec et le reste du Canada.

Chiens du Monde
http://www.chien.com/

Site français consacré aux chiens qui offre :

• Une multitude d'informations sur les races, les éleveurs, l'alimentation, l'éducation, la santé et l'entretien du chien.
• Une section « *sports canins* » et diverses rubriques incluant des articles fort intéressants sur le monde canin.
• Une catégorie « *loisirs et détente* » contenant des cartes virtuelles, une galerie photos, des fonds d'écran et beaucoup plus…

Vétérinet
Pour tout savoir sur les animaux de compagnie au Québec
http://www.veterinet.net/

Créé au Québec en 1996 sur l'initiative du médecin vétérinaire Michel Pepin, *Vétérinet* a forgé sa réputation en étant le premier répertoire de sites francophones uniquement destiné aux propriétaires d'animaux.

Vétérinet offre non seulement un répertoire de sites francophones sur les animaux mais aussi de nombreuses nouvelles sections originales destinées à nous informer sur toute l'actualité animale.

Vétérinet donne aussi accès à plusieurs autres services comme des forums, des petites annonces, un agenda des activités, une section jeux, etc.

Mypetstop
Mon espace pour mon animal ™
http://www.mypetstop.com/

Site Web français intéressant qui rassemble plus de 100 dossiers sur les soins, le comportement et les besoins de votre animal de compagnie.

Mypetstop regroupe une collection des articles les plus utiles dans le but d'offrir une multitude d'information sur l'alimentation des chats et des chatons, leur santé, la relation homme-animal, et les loisirs.

Et, leur *Galerie de Races* présente plus de 500 races existantes où on y trouve le descriptif complet de chacune.

LECTURES SUGGÉRÉES

ANIMAUX DANS LA VIE DES ENFANTS, (LES)
Auteur : Gail Melson
Éditeur : Payot
ISBN : 2228896497
Date de parution : 11 novembre 2002

Pourquoi les premiers rêves des enfants mettent-ils en scène des animaux ? Les animaux peuvent-ils guérir les enfants malades ? Que se passe-t-il chez l'enfant lorsque son animal meurt ou disparaît ? Que signifie pour un enfant le fait d'observer des animaux réels, de les toucher, de s'en occuper, de leur parler ? Se pourrait-il que les animaux soient plus importants pour les enfants que pour les adultes – et en ce cas, pourquoi ?

Les enfants entretiennent jusqu'à l'adolescence, avec les animaux, une relation intense et déterminante pour leur sociabilité, leur développement émotionnel, la formation de certains principes moraux, voire leur équilibre psychique et physiologique. Ce livre est l'un des premiers à explorer le monde animal des enfants.

CHIEN EN 10 LEÇONS (LE)
Auteur : Corinne Crolot
Éditeur : Minerva / Collection : En 10 leçons
ISBN : 2830707028
Date de parution : 01 juin 2003

Cet ouvrage très pratique s'adresse autant à ceux qui adoptent pour la première fois qu'aux habitués des chiens. Facile à consulter, il aborde en dix leçons, clairement structurées et joliment illustrées, les thèmes essentiels de la vie du chien : sa santé, son alimentation, son éducation, sa reproduction...

Quel est le type de chien le mieux adapté au rythme de vie du maître ? Où l'acheter ? Quel budget prévoir ? Comment le nourrir, l'éduquer, le soigner ? Quelles sont les adresses indispensables... ?

Quelques-unes des questions auxquelles ce livre répond pour assurer au chien de tout âge et de toute race une vie heureuse, saine et équilibrée et permettre au maître de vivre sereinement et en toute complicité sa relation avec son compagnon.

CHIENS HORS DU COMMUN
Auteur : Dr Joël Dehasse
Éditeur : LE JOUR
ISBN : 2890446050
Date de parution : 29 octobre 1996

Certains chiens posent aux scientifiques des questions troublantes, car ils témoignent d'une qualité de perception sensorielle peu commune ainsi que d'une singulière relation avec les êtres humains. Seraient-ils doués d'une sixième sens pour montrer une communication de pensée et un développement de la conscience aussi peu habituels ? Médecin vétérinaire réputé, le docteur Joël Dehasse a fouillé les archives et recueilli des récits insolites se rapportant aux meilleurs amis de l'homme.

Dans cet ouvrage qui marie l'anecdote à l'observation scientifique, il nous livre le fruit de ses recherches et nous fait pénétrer cet univers étrange des sens, de la conscience et de la pensée du chien.

ÉDUCATION DU CHIEN, (L')
Auteur : Dr Joël Dehasse et Dr Colette de Buyser
Éditeur : Homme
ISBN : 2761902688
Date de parution : 08 décembre 1995

Les auteurs, Joël Dehasse et Colette de Buyser, médecins vétérinaires, vous proposent dans ce livre des techniques simples, à la portée de tous. Textes et illustrations décrivent en détail chaque étape de l'éducation de votre compagnon. Vous voulez acquérir un chien ? Ce livre vous aidera à faire le meilleur choix, en fonction de vos goûts et de votre milieu familial :

• Apprendre un chien à être propre et obéissant.
• Savoir le punir et le récompenser au bon moment.
• L'initier aux règles de la vie en société.

Votre chien vous cause des problèmes ? Les techniques d'éducation et de corrections, appliquées ici au jeune chiot, vous permettront, quel que soit son age, de parfaire son éducation et de rectifier son comportement.

GRAND GUIDE DES CHIENS (LE)
Auteur : Rino Falappi
Éditeur : Sand et Tchou
ISBN : 2710706555
Date de parution : 01 juillet 2003

Le guide de référence pour connaître, reconnaître et élever toutes les races de chiens les plus connues.

- Comprendre : Toutes les races, en plus de 200 fiches exhaustives détaillant les origines, la morphologie, le tempérament, l'habitat le mieux adapté et les soins nécessaires pour chaque chien.
- Reconnaître : Une identification très simple grâce aux photographies en couleur présentant chaque chien dans ses différentes colorations.
- Élever : Tous les renseignements pratiques sur le comportement de votre chien, son anatomie, ses aptitudes naturelles, ses besoins alimentaires, sa santé, son toilettage, sa reproduction et les expositions canines auxquelles il peut participer.
- S'informer : Toutes les adresses utiles, ainsi qu'un glossaire des termes spécifiques et un index alphabétique des races traitées.

GUIDE RÉFÉRENCE DU CHIEN (LE)
Auteur : Bruce Fogle
Éditeur : Marabout
ISBN : 2501041089
Date de parution : 17 mars 2004
Catégorie : Loisirs

Tout ce que vous avez toujours voulu savoir sur votre chien. Un chapitre entier consacré aux races canines vous permettra de choisir celle qui vous convient. Toutes les informations pour élever, soigner votre animal. Faisant profiter le lecteur d'une expérience de terrain inestimable, le Dr Bruce Fogle décrit les maladies les plus courantes du chien et explique comment le nourrir, le soigner et faire face à toutes les urgences. Pour aller plus rapidement à l'essentiel, des tableaux vous permettent de repérer les symptômes et d'établir un diagnostic.

Un guide pratique de référence à utiliser de tous les propriétaires de chien tout au long de la vie de leur animal.

Un ouvrage qui regorge d'informations sur :

• toutes les races
• tous les problèmes de comportement
• tous les diagnostiques et tous les soins

MON CHIEN : LE CONNAÎTRE ET LE SOIGNER
Auteur : Elsa Flint et Graham Meadows
Éditeur : Reader's Digest
ISBN : 0888507453
Date de parution : 25 janvier 2002

Que vous soyez néophyte en la matière ou plein d'expérience, ce guide pratique répond à toutes vos préoccupations en tant que propriétaire de chien. En vertu du principe qu'un chien heureux apporte du bonheur à son maître, ce guide vous aide à comprendre le comportement du chien, à choisir le compagnon qui répondra le mieux à vos attentes, à reconnaître les symptômes des maladies qui le guettent et à lui prodiguer les soins et attentions qu'il réclamera à chaque étape de sa vie.

Des experts partagent avec vous leurs connaissances.

• Soins à donner à votre chien à chaque étape de sa vie.

- Les plus récentes méthodes pour en faire un chien obéissant.
- Maladies : symptômes, causes probables et actions à prendre, sous forme de tableaux faciles à consulter.
- Comportement : trucs pour corriger les mauvaises habitudes.
- Alimentation : ce qu'il lui faut dans son assiette.
- Bienfaits : les joies que vous pouvez tirer de votre chien.

QUESTIONS AU VÉTÉRINAIRE : SPÉCIAL CHIEN
Auteur : Bruce Fogle
Éditeur : Marabout
ISBN : 2501038800
Date de parution : 16 octobre 2002
Catégorie : Loisirs

Un guide complet pour prendre en main la santé de son chien. Mieux comprendre son chien en observant son comportement. Une charte des symptômes permet d'observer le moindre changement de comportement de son chien et de prendre les bonnes décisions.

Pour comprendre votre chien, il faut apprendre à l'observer et reconnaître les symptômes de maladies possibles :

- manque d'appétit
- blessures
- changement soudain de comportement
- rhume et coup de froid
- problème d'audition
- parasites
- vomissements
- perte d'équilibre…

Docteur Bruce Fogle est vétérinaire et l'auteur de nombreux ouvrages sur les animaux de compagnie. C'est grâce à une observation et une réflexion rigoureuses qu'il vous propose de donner les meilleurs soins possibles à votre chien.

UN CHIEN POUR LES NULS
Auteur : Gina Spadafori
Éditeur : First / Collection : Pour les nuls
ISBN : 2876918013
Date de parution : 10 septembre 2003

Tout le monde peut avoir un chien heureux et épanoui, *Un chien pour les Nuls* vous montre comment y parvenir de façon simple et amusante. Facile à consulter, bourré de renseignements et de trucs, il vous sera indispensable pour accueillir votre animal, le toiletter, le soigner, le nourrir... et le chérir. Un guide à l'usage de tous les amoureux des chiens pour devenir un maître génial.